国家出版基金项目
NATIONAL PUBLICATION FOUNDATION

《三联经典文库》

第二辑

2012年国家出版基金项目

《三联经典文库》编辑委员会名单

三联经典文库

112

沦亡的平津

长江　小方　等著

生活·讀書·新知三联书店

图书在版编目(CIP)数据

沦亡的平津 / 长江，小方等著. -- 北京：生活·读书·新知三联书店，2014.1
（三联经典文库第二辑）
ISBN 978-7-108-04586-7

Ⅰ. ①沦… Ⅱ. ①长… ②小… Ⅲ. ①报告文学－作品集－中国－现代 Ⅳ. ①I25

中国版本图书馆CIP数据核字(2013)第152262号

112 沦亡的平津

责任编辑	卢　莹
封扉设计	蔡立国
责任印制	徐　方
出版发行	生活·讀書·新知 三联书店 (北京市东城区美术馆东街22号)
邮　　编	100010
经　　销	新华书店
印　　刷	北京市松源印刷有限公司
版　　次	2014年1月北京第1版　2014年1月北京第1次印刷
开　　本	787毫米×1092毫米 1/32　印张 4.125
字　　数	48千字
定　　价	15.00元

《三联经典文库》出版缘起

适逢生活·读书·新知三联书店八十华诞，为弘扬传统，接续文脉，回报读者，服务社会，我们决定策划出版《三联经典文库》。

1932年7月，生活书店在上海创办，此后，读书出版社和新知书店相继成立。本文库第一辑、第二辑所选图书，来自于这三家出版单位及其分支机构，以及1948年生活·读书·新知三联书店成立后的出版物，始于1932年，截至1951年，两辑各一百种。此为第二辑，涉及政治、经济、社会、军事、思想文化诸领域，涵盖专著、文集、散文、小说、诗歌、传记、报道等体裁，既有直面现实、追求真理、讴歌真善美、抨击假恶丑的原创作品，又有引介世界各国先进文化、传播新知、开启民智的迻译之作，真实记录了那一代知识分子的思考与探索、理想与愿景和对中华民族文化传承与创新所做出的努力与贡献。

本文库所辑入各书，多为名家名作，在版本方面，以初版一印本或经著译编者审定、修订、增订过的版本为首选，因此本文库又具有较为珍贵的版本价值和收藏价值。

本文库还将编选续辑，使之成为恢弘文化工程。诚挚希望读者给予批评和指正，帮助我们完善编选工作，再现三联经典作品之风采。殊为遗憾的是，由于年代久远，一些原著译编者及其后人未能取得联系并奉付稿酬，诚盼版权所有者与我们联系。祈愿三联前辈所创造的精神财富能薪火相传，为中华文化的伟大复兴增光添彩。

《三联经典文库》编辑委员会

2013年8月

凡　例

一、本文库为重排本，由繁体字竖排版改为简体字横排版。

一、以忠实于原作、整旧如旧为编辑原则，对当时使用的专有名词、外文译名，以及民国时期的语言和特色予以保留。

一、原书注释如旧，编者所出的注释，均以“编者注”标明，以示与原书注释的区别。

一、对原书残缺或字迹漫漶之处，以□示代。

一、对繁简文本转换时的“如右”、“见左”一类，对应改为“如上（前）”、“见下（后）”。

一、对原书中各种错讹脱衍之处，直接订正，不再以其他符号标示。

一、对数字、标点符号的用法，在不损害原文语义的情况下，做必要的规范。

一、本文库各书均前插原书书影、原书版权页和文库版“本书出版说明”。

一、本书出版说明的撰写，以客观中立为原则，扼要介绍本书的内容、版本流转、著译编者的情况。

本书出版说明

全书由13篇文章组成，记述了1937年“卢沟桥事变”后的不同人群对平津沦陷的感受。既有沦陷前的平津风貌、人民生活和文化氛围，以与沦陷后的惨况形成的鲜明对比，又不乏二十九军退出北平前如何苦心坚忍支撑危局以及对平津失陷过程的反思。本书真实记录了平津沦陷后的凄惨景象，日军对国人的残暴，特别是对青年学生的恣意伤害，也包括平津沦陷后的流亡经历，当然也有国人对日军的抗击。书中每一篇文章都充满了对残暴日军的刻骨仇恨，以及对赶走日本侵略者、收复失地、重建美好家园的渴望。

本书作为“抗战中的中国”丛刊之一，于1938年1月初版。本次出版，即以初版为底本。

“抗战中的中国”丛刊由长江主编，本书署名为长江、小方等，实际上还有《大公报》、《字林西报》等报章上的文章，除此之外还有六位作者，为多人文章之结集。

长江即范长江（1909-1970），原名希天，四川内江人。1935年7月以《大公报》特约通讯员身份采访西北，发表了大量旅行通讯。1936年任《大公报》记者。1939年5月加入中国共产党。1942年转入苏北解放区从事新闻工作。1946年任中共南京代表团发言人、新华社南京分社社长。新中国成立后历任新华社副社长、上海《解放日报》社长、新闻总署副署长、《人民日报》社长、国家科委副主任、中国科协副主席等职。著作结集为《范长江新闻文集》。

小方，不详。

生活·读书·新知三联书店

2013年8月

生活书店 1938 年 1 月初版书影

“抗戰中的中國”叢刊之一

淪亡的平津

每冊實價國幣叁角
外埠酌加寄費

著者　長江　小方

主編者　長江

發行者　生活書店

漢口　上海　廣州　重慶
西安　長沙　福州　成都

中華民國二十七年一月

原书版权页

目次

血泪平津

长　江

北方的时局，又坠入了过去日本惯用的一松一紧的老阶段。突然的强力压迫，激起了全国的反感，他们相当达到目的之后，于是就放些和缓空气，弛缓我们的反抗力量和工作，然后尽量利用我们内部的弱点，作分化挑拨等工作，扩大我们的矛盾，然后等待机会，又来一次的进攻。这样又偷又抢的政策，很容易令意识麻木的被压迫者，耽误他反抗以求解脱的机会。

“卢沟桥事件”，日本曾三次约好同时撤兵，而三次皆于约定时间内反向我攻击，第四次约好二十二日同时撤兵，结果我们到今天已撤了三天，他们还在加做工事，运输军械。许多负责的军政人员还梦想着日本之撤兵，希望可以和平妥协，暂维一时；然而，可能程度有多少呢？

北平对外交通，一共只有几条主要道路，向东是平榆公路，平津公路，平通铁路，此三路皆以北平东面四十里之通州为总过道。此地早已在日军手中，且为傀儡伪冀东防共自治政府所在。东南为北宁铁路，以通天津，南路咽喉之丰台，已在日军绝对控制之中，且丰台车站服务人员，日方已于二十四日改用满铁职员，陈觉生直等于傀儡局长，北宁路一切皆唯日方之命是从。北平西南交通要道为平汉铁道，卢沟桥为平汉之要津，日方正用种种方法，希望抢入手中。平市正西尚有一短铁道至门头沟，由门头沟绕四十里汽车路，可至平汉之长辛店，此路军事要隘为八宝山，日正逼二十九军之撤回。平西北为平绥路，昌平为绥之东段命脉，日军已在昌平有充分准备，以备必要时可以横断平绥。北平正北公路，可至古北口，古北口本身已在日军之手，故今日北平对我国本部唯一之交通孔道，为平汉路，万不得已时，尚可以门头沟一路补充，如果我方竟连卢沟桥与八宝山而让付日军之手，北平一百五十万民众，北方千百年积累成功之文化城，整个已成他人囊中之物。地方当事者尚自诩外交如何有办法，是皆无识者之妄言。

平汉路未通时，我从长辛店绕道门头沟至北平，路上听到许多乡农谈话，他们觉得这年头气象不同了。许许多多的二十九军队伍，驻在他们的家里，或者车站，戒备异常森严，而他们毫不惊异，亦不觉厌烦。他们说："大家程度提高了。说起国家事，没有人不是一样心的了。"不过，我们本来有条好好的平汉路，为什么不能自由通过，反而绕了这样多路，究竟我们有什么过失呢？

北平是美丽的都市，而且是受着高深文化熏陶的都市。中国有千百万人曾经为这美丽的都市所陶冶，有若干国内国外有名的学者，受过这城市的教养，而且她正陶醉着教养着百数十万的同胞。“七七事件”以后，北平成了戒严与战争之城，城门最少闭了一爿了。要道口上埋着作为掩护用的沙包，警宪的力量加强了，许多居民避难到天津或其他的地方了，商店的门前冷落了，街上的车辆行人稀少了，健壮活泼的男女青年学生不多见了。总之，这座古城此时表现着“死”的景象了。然而她有点像一位有学问的美妇人，虽然断了生机，肢体已经不能转动，然而她的容颜仍然是秀色可餐，而她生前学术道德的涵育功夫，仍然使她在死后表现着静穆舒恬。

北平城内堆沙包，实在有些不必。因为如果决心不受外人无理欺凌，有抵抗横暴的勇气，我们应当不客气的守着正义和军事要点，使敌人定和战于基本防线之外。今我平津要害地点先后为日军占去，不以力争，今大祸已临头，只作市内之消极防止暴动工作，未免太不像话，设外险已失，而城内再起战争，则北方大局，已处于根本不利我位。大门不守，守房门，那会有多大用处？

“七七事件”后，日本飞机常在平市上空飞行，市民看惯了，听到机声，也不甚惊异了。民二十二年《塘沽协定》时，平市市民初受外兵之恐骇，逃难者至多。今次则除少数优裕阶级外，中级以下市民，普遍有了深一层的觉悟，日军进迫无已时，大家如果不能有办法，逃到那里也是问题。所以大家索性不跑，而且对于头上的飞机也若有若无的马虎视之。

在北平警戒的士兵，遇到可疑的车辆行人，他们总是用了全副精力来注视，来盘问，他们的眼睛，几乎张大得要突了出来。然而你们的长官不能领你们作战略上有价值的监视和战争，只在将死的城里使大劲，勇则勇矣，其如勇得可怜何！

日本兵的情绪，完全和我们两样。有一天我们的汽车被阻于大井村之日军步哨，彼方一面电话上部请示，其二兵慢慢同我们攀谈起来，他们教我学日语，意态诚恳，很少对严重形势表示关怀的样子。他们是征兵出身，有不少知识很高的分子。他们对于中日情况很明白，出发到中国来，也不是自己心甘意愿。

这次日本到华北很多新闻记者，把华北此次侵略行为夸大的向本国宣传，希望刺激日本国民胜利的情绪，以稳定军部统治的基础。然而我在北宁车上遇到些陪送日本记者们的日本士兵，根本不大注意他们的活动，只皱眉蹙额感觉服装太厚，武装太多；只想解解他们的热闷。丰台一带巡查的日军，没有一个不表现着颓唐无神的怪相。

好久不到天津，这回到天津东车站，一看几乎到了外国。黄色军服的日本兵把守着站台，把守着天桥，把守着过道，我们的车站办公房，被他们占去做了“皇军”

的“驻站司令部”，日本在津的民众团体，妇女团体等，在司令部旁边设了“皇军招待所”供给他们一些饮料。

站道里有从南满开来的铁甲车，车的钢板外面，漆着虎斑，别显威风。还有在铁道上驶行的坦克车，我们北宁路货车里装的日本军火，车上车下，那里都是日本军人。伪奉山路和南满路的车辆有不少在车站上，南满的司机，在日军指挥下自由调度我们的车辆。日军大小军官穿着皮靴挂上长刀穿来穿去。我不知道天津东站已变了这个样子，下车一看，不觉毛骨耸然。下车的中国人，多屏息疾步出站，不敢正视他们；一种小心谨慎的滋味，令人有点难受。

“七七事件”以后的天津，听说在十九日产生了一个什么协定，第三项是取缔排日，共同防共那些可大可小的自由解释的东西。日本人在协定前后，又“忠实”（！）的执行他们这重视的排日防共等事件。除英法两租界没有办法外，日租界和中国管辖的区域中，日方已不客气的逮捕那些他们认为是抗日和共产的分子。新闻界的王研石失踪了，理由据说是组织救国会之类；南开学生会的热心负责人也被他们光顾过了。此外失踪的人非常之多。我们的警察最多不过写下他们捕人的汽车号数，也不敢阻挡和追捕。捕去以后的刑法，是有名的毒辣。

北宁路局对于日军之招待，可谓无微不至，日军不相干的武装大兵，也可以受路局头二等免费的待遇。这简直是欢迎人家来压迫我们！

北宁车上，有些中国小学生，怒目望着他面前的日本兵。他们的母亲或者姊姊恐怕小孩惹祸，但是无论如何也劝不转，日本天天向中国交涉取缔排日抗日思想，然而他们自己偏偏不断造些事实来刺激中国青年，使他们感到他们今生第一个大目的，就是赶日本人出中国领土之外。

北宁路这样丰富的铁路，这样的好的车头和车辆，丰台是这样大规模的联络站，甚而至北平这样美的城市，都渐渐吞入日军口中去了。所以单言建设，而不能先有国防，则建设毫无国家意义，且反为人所利用，以攻其国家。

三十七师冯治安部，这几天奉令撤退，大兵们离开北平城门时，总不断的回头，望望城楼，看看城楼附近的小本营业者，他们意识中："这些都是属于我们中国的啊！"

七月二十五日

前线忆北平

小　方

我们既然发动了一个伟大的民族解放战争，同时也就应该开展一个广泛的自我批判，一切的弱点都不应该再隐瞒着了，检讨自己的错误，承认自己的错误，然后才可以图纠正，图进步。只有这样，才能科学的运用过去的经验和教训，以把握着战争的最后的胜利。

二十九军在七月二十九晚上，以一个夜间的工夫突然自北平撤退，于是一般悲观论者都大说其风凉话了："大刀片怎么能和人家的飞机大炮比呢？""华北亡在二十九军手里了！"谁说出这种风凉话，谁就是不识大体的肩夫，因为这种观念完全是日本军阀眼中的“二十九军观”，我们中国的民众是不应该有这种错误认识的。我们军队的机械化设备的确比不上日本，但这不只是二十九军如是，就连我们国内的其他部队亦并非不是这样。我们这一个民族解放战争之胜败决定的条件，不是单方面的军队机械化设备问题，这是谁都知道的。二十九军两年来驻在这国防的最前线，苦心坚忍的支持危难的局面，外受敌人的疯狂的压迫，内受汉奸卖国贼的煽惑包围，直把这《塘沽协定》后的冀察危局维持到如今，正在我们的国家已经真正的和平统一了，全国民众一致的要求收复失地的时候，二十九军不能再容忍了，他勇敢的举起了反抗侵略者的战旗，向着敌人放出第一声解放战争的大炮，他作了我们民族解放的先锋队，这一个功劳将永远记在中国的光荣的历史上。

敌人是倾巢来犯，我们的二十九军只以孤军首当其冲，以致受了这样大的牺牲，直到退出平津，我们还相信他并不是败退的，而是战略上的行动。事情虽已过去了半个月，但是回想起平津失陷后的悲惨情形，又不能不令我们要把这次战略上的行动加一番是非的检讨。北平是一个宏伟壮丽的文化城，的确我们假如要把她毁在战争中实在是可惜，也许我们之不愿作守城的战争，这也是原因之一个。但是这所以号称文化城的地域，不只在乎有那些“物质文化”，而更重要的是在这里头生活着一百五十万有教养的市民，其中三十万学生分子都是由历次的爱国运动中锻炼出来的精华，是全国青年运动的领导者，在我们的民族复兴运动中造出过多少次光荣的历史。尤可贵者是这些光荣的事迹没有一次不是以青年的生命和血换了来的。卢沟桥战事发端的时候，正值各学校里刚刚放了暑假，一部分学生虽有返乡的，但是有一部分学生正预备走而未走之际，就为了保卫北平的工作留了下来。他们组织在统一的团体之下，发动了慰劳团，宣传队，战地服务队等，并有一部分更勇敢的分子已在秘密的训练巷战技术，准备参加实际战斗，有两千人的一个青年组织叫作民族解放先锋队的，他们已得秦德纯市长的允许，答应在敌人围困北平的时候，改编为义勇队参加作战。北平的军政当局公开的对民众表示城防无虑，并云十分钟内可以布置好一个全市的巷战阵地。在这种情形下，北平民众的心理，当是如何的兴奋，其所以能在卢沟桥炮声隐约中一向保持着那样镇静的态度，亦非无因也。大学教授们又曾集团的访晤过宋哲元，秦德纯询问情势，结果都非常圆满。七月中旬，卢事正在风雨莫测中，北平的汉奸冷家骥，周兆祥等就已蠢蠢思动，唱改北平为永久的“平安城”之议，企图欺骗一般的小市民，而反对正在准备着的守城战事。换句话说，就是要叫日本不费一枪一弹把北平得到手，当时北平文化界知道了这消息立即发表过宣言，揭发其汉奸作用，并表示文化界同人愿与北平城共存亡，誓死保卫北平，实行焦土抗战！

焦土抗战，是我们不可免的同时也是必要的一部分牺牲，也可以说只有抱了焦土抗战的决心，才能获得最后胜利的把握。

出乎任何人的意料之外，就是汉奸们的企图居然实现了，民众们得到了收复通县，丰台的报告之后，都愉快的睡着安适的觉，那想到第二天早晨一醒来，整个的局面变更了，这真是突如其来，任凭二十九军在保卫国土的工作上是多么劳苦功高或遭遇到了多么大的牺牲，北平的民众也不能不惊讶一声：“我们受骗了。”

以天津那地方来说，三个火车站早已被日军占据了，东马路又是接邻着日本租界，在北平已被日军不劳而获之后，仅仅剩下一部分当地的警察保安队，还能在敌人的飞机大炮下支持五六天的巷战，所以我们又不能不奇怪北平的失陷是非常离奇的，离奇得和沈阳失陷一样。我们没有能力保卫北平吗？不能作围城一战吗？大概是“非不能也，是不为也”吧。地方军政领袖，在“恐日病”的病菌侵害下动摇了固有的自信力，这个责任是不能不负的。反过来说，以当时的形势，中央大军早已开到保定一带，如果北平的围城战能支持一个即或很短的时期，我们的援军必然也就会很快的接上来了。敌人要轰炸北平，这是不可免的，但我们还顾惜这许多小节吗？二十九军之退出北平，不只是民众们没有想到，就连军队本身也并未想到，这完全是临时的一个错误的观念所造成的，甚至于恐怕兵士们不听从撤退命令，而不惜欺骗兵士，说这是换防。假设说这一个撤退能以保持我们的实力，那也不妨一为，但是军队既然撤退，是不能背着工事走的，结果一路上被敌人的飞机追随着轰炸和扫射，伤亡遍地，其牺牲较之作战尤大，这种无代价的损失是多么可惜呢。

被遗弃在北平的爱国青年，知识分子……都是中国文化的结晶，他们是手无寸铁，他们早已被敌人恨之入骨了，现在落入了虎窟中，作了蒸笼上的蚂蚁。随着三十几个知名的新闻记者及爱国青年的被捕，日军又大部开进了城，于是和天津一样的大屠杀继续着在北平表演起来。但这个消息因为交通的封锁并没能传出来，只有八月八日的日本同盟社电报，内容写着："北平红十字会及其他各慈善团体，现已开始活动，埋葬市民尸体，收容避难人，救治伤人……"为什么要埋葬市民尸体呢？这无异告诉了我们北平已经遭遇了，并且一定还正在继续着的大屠杀。北平的学生，很多都是住在学校宿舍或者公寓里，这些异乡的学生，自然没有什么更好的地方供他们藏避，只得任敌人尽情的杀戮了。还有很多著名学者和大学教授，他们的行为思想，甚至在平时就有的要遭到"解聘"之祸，试问在陷落后的北平中，他们还能够安生于敌人的虎口之中吗？这一切一切，我们都没有勇气去想象了，这是中华民族的一个如何严重的损失！尤其是敌人知道了我们正决心准备着收复平津的时候，他的行动将更加野蛮和疯狂，他要在北平没有被我们收复之先，尽情的施展其残暴的破坏和摧残。这种行为比强盗还要凶过万倍，他已进行着把平津的财宝运走，把活的和死的文化都摧残个干干净净。我们难道还要延迟吗？我们应该立刻开始反攻，以迅雷的速度先把平津克复，救出那些水深火热中的民族的优秀分子，使他们得到武装，积极的参加抗敌工作。现在真是所谓十万火急的时候了。

十一日于保定

未名湖畔忆离散

《大公报》

未名湖上浮着晨兴的雾，七月的南风唤醒垂曲的柳枝了；湖畔已有早起行深呼吸的人们，踱着安详的步子。

北方的残夏，有着江南初秋的景象。白色的云，追逐在蔚蓝的天幕下；林翳中，时送来婉丽的禽音。

人们正在做着各种不同的梦。

往日，梦后的追寻，每作为一种朝起的粮食；一些泥滞于梦境的人们，常小立栏前，凝睇辽远的山峦，把现实的世界忘却。

然而这是一个不同的日子。穿云而过的机身，翱翔在未名湖的上空；轧轧的机声，搅扰了夜来的清梦；现实的狰狞的面影，正摇晃于人前。

一声巨响驱去了一切的宁静。人们的心狂跳了。

在山径中，在湖岸边，在辉煌的建筑底下，在沥青的路上，奔驰着仓皇的人影。

巨声从隔壁“西苑”蔓延过来。黑烟升起在翠蓝的山下。

“西苑炸了！”

我们担心着二十九路军同胞的死生。忘记了死神之巨掌，还紧握着我们的咽喉。

飞机在晴空里上下，又从容的向东南角上飞去了。

陷在无情消息的闷阒中，一些人踯躅在湖畔。

“神圣的抗战爆发了吧？”我们心里盘算着。

暴风雨后的西郊，笼罩着无边的沉寂。

我们从东校门偷偷地骑着自行车出去，绕过清华向西山去的路上走；看见柳树底下放着好几辆载重汽车，汽车上面掩放着青的柳枝。

从清华到颐和园的路上，已禁止通行了。路旁构筑了简单的工事；荷着实弹的兵士，伏在浅浅的战壕里，期待着肉搏的来临。

我们用热的眼泪，紧张的情绪，迎接着这伟大的时序。那是我们六年来艰辛的待望。

时间在人们的紧张中，显得更快了。

学生会的情报股从城里得来的消息，用大号字写着，在燕园中的墙壁上，炫惑了人们的眼睛。

"宋哲元通电全国抗战。"在人们的眼睛前渐渐大起来了。

没有人不滚着欣喜的泪珠。没有人不双手迎接这神圣的抗战。

我们忙着接城内的电话；另一部分人忙着救护的训练了。

强盗们一伸手，无数的无辜民众便遭殃。在西苑投下来的炸弹，震毁了许多屋舍，路上结集着许多难民了。邻燕大而居的人，都避入燕园中，他们以为可以得到外国的保护。我们便乘着这个机会向他们宣传了；因为从很久以前，他们就和我们成了朋友，所以我们的话奏了相当的功效。在逃难中，能井然有序，并且有许多愿意参加我们的救护工作，这不是一个“奇迹”吗？

胜利的消息，使我们发狂了。愈来愈急的炮声，使我们对抗战的弟兄表示无限的敬意。

我们的朋友——司徒雷登先生——庆贺我们民族解放战争的开始的胜利。他说，那该是我们最光荣的日子！那深刻在他面上的绉纹中的笑容，使我们感到一种崇高的人类的伟大的爱。

晚上，我们开了一个座谈会，参加的有许多外籍人士。会后，我们高呼“中华民族解放万岁”，“中华民国万岁”，“打倒日本帝国主义”等口号，那才算得是真正的快乐的呼声。

会后归来，传日本将用毒气攻北平，我们忙着做防毒的面具；并将在校的同学和职员组织好，以防汉奸。

我临着守二班夜，在林荫中来往，静听继续的炮声，有着和“一二·九”时代守夜时不同的情怀。

二十九日天还没有亮，城内来电话谓我军已退出平津，大家都不信。

又是一个同样的早晨，飞机翱翔在我们的头上；我们看它怎样飞来怎样飞去，怎样投弹；我们希望也有我们自己的飞机来。

依我们简单的判断，以为飞机轰炸了，我们的军队决没有退走。

飞机走后，我们回到宿舍里打听消息。第一落在我们眼里的是一辆从城里而来的小汽车，停在贝公楼后面。

大家都说：“宋哲元弃城出走，张自忠做了汉奸。”

后来我们又知道那辆汽车来自美国大使馆，专为送一面美国国旗来保护燕京。

我们望着立在桥畔的挂国旗的木柱；我追恋往日升降国旗时的号声。一位同学说："马上就要看到别样的旗子在那儿代替我们的国旗了。"

"何时能见故国之旗呢？"我想着。

当灿烂的美国旗在空中飘扬；太阳旗已遍遮燕京外面的世界了。

"我们随着三十七师退到保定去吧，清华有好些人去了。"

好几辆自行车匆促地沮丧地在西郊大道上走着。

流亡记

燕京人

“卢沟桥事件”发生以来，我们北平的学生都相信我们自己的力量：“有二十九军在这里，我们还怕什么！”因此同学们都愿意留在北平，想为国家尽些力量。我们冒着危险到长辛店，宛平县去慰问吉团长和二十九军的弟兄，他们鼓励我们在后方工作，他们的勇气使我们兴奋，我们更不愿离开北平了！大家成天忙着学习救护，募捐，以及一切工作，准备着与北平共存亡。我们更希望这就是全面抗战的开始，我们并不怕死，谁都高兴地等待着那一天的到来。

终于在七月二十八那一天的早上，静静的燕园被一阵奇异的机声惊醒了，我们看见三架飞机在西苑上面飞，立刻投下几个炸弹，大家是兴奋的，但是没有一个人说出一句害怕的话。就这样的过了一天，飞机总在头上绕，我们却在下面欢笑，因为情报一张一张的贴出来了，“丰台收复”，“廊坊收复”，“获敌机二十架”，“中央飞机共十架来了”……大家跳着嚷着，仍和平日一样的玩，或者是比平日更高兴。

这一天点缀着燕园的是七八百“难民”，他们多是海淀，成府一带的居民到校内避难。于是男女老少在男校宿舍里挤来挤去，哭闹喊叫煞是热闹！校内食堂里预存的两星期的粮食被他们一天就吃光了。

当天又得一消息说敌机要施放毒气，人心惶惶，又赶紧预备口罩，制防毒药。学生代表去见司徒校务长时，见他仍安然办公，一点也不惊慌。他说：“在这个时期，我也不敢担保你们生命的安全，不过燕京是我办的，我负着这个责任。我不能离开，只能与你们在一起，受难时大家都一样。”我们见了他如此镇静，自己反不好意思说什么了。这一夜自然不能安眠，可是毒气也始终未出现。天明之后得到的消息是张自忠的叛变，三十七师的退却，大家如冷水浇头，立刻感到失去了倚靠，都不知怎样才好。上午我和一位同学骑车去海淀，发现西苑的南门上防御工事全毁坏了，又见远处有火光，就绕道西苑北门，看见门外的民房店家正在烧着，人们匆匆收拾东西逃走。进了北门，随处看见的都是破碎的楼房，有一座已炸成平地，满地都是屋顶的铁板。没有一个人在那里，四围静得可怕，就赶紧退出来驰回燕京。事后想起来又觉得危险万分！回到燕京见同学们都收拾行装进城，我们也想进城去乘平绥路车到门头沟，再步行至长辛店，谁知一到车站就得消息说日军已由此线来了，我们只好留在城内。

在城里住了一星期，每日都打探消息，听说清华已住了日军，同学被杀……诸如此类的事使我们十分着急。城门是关了，每天只能闲坐听无线电所放送的消息。这些天的苦闷是无法形容的。

八月三日，西直门每日开四次，就坐洋车出城，一路上没有发生什么事，路旁沟内有许多死尸，但被雨水淹没了。几个警察署都空无一人，但见屋旁的几座新坟和未埋掉的棺材而已。到了海淀，看见家家都悬日旗，多是纸做的，上涂一大红点就算了。到此才真真觉得是作了亡国奴，到燕京大门时，有几个日本兵来检查我们，略看看就放行。燕京的门上挂的是美国旗，看了真觉惭愧！进了大门时，真是悲喜交集。校内同学好像是住在一座荒岛上似的，到处都是寂静的，静到连话都不爱说了，夜间更沉寂如同一座坟墓，若不是司徒校长时时来安慰我们，劝大家到体育馆去打球，或是玩玩纸牌，大家是更不爱动了。

清华是常有日本兵进去的，有一次几位同学碰见一个日本兵，他也是大学生，用英文和他们谈话，他谈："我虽是到这里来打战，我是很同情你们的，不过国家要我来打，我也没有法子。"

在燕京也不是安全的，日兵曾有一次在校内穿行，还有一次为要求到园内站岗而与外国教授吵了起来。学校感到对学生不能有十分的保障，虽希望留校的同学能继续他们的学业，但是同学们愿离校的也可以随便。会计课内有负责人等学生来借旅费，也有外国教授以私人资格借钱给学生的，这是学校当局所能给予学生的最大的帮助，也是我们同学所不能忘的。

八日日军进城了，到处贴出"日本军北平入城司令"的布告，说禁止造谣生事，他们是来"维持治安"的。北平就这样的失掉了！街上仍是和平日一样热闹，汉奸的报纸和传单号外各处飞散，放着无耻的谣言，如果报上的话竟是事实时，我们一定要自杀了！

北平是不是可以住下去的呢？听说要查户口了，自然，后面跟着的就是大屠杀，尤其是学生们。我们忘不了“九·一八”时的沈阳。唯一的出路就是离开北平，平津路车虽已通，其危险性是极大的，有许多同学已被扣了，检查得十分严厉。穿黄裤子的就说是保安队，短发就说是兵士或受训的学生，见着有钱就随便取去，令人哭笑不得，我们为了要逃出虎口就只好把生死置之度外了。书是一本也不能带，行李拿得极简单，把平日心爱的东西全抛弃了，最可惜的是几年来抄得的笔记，全都寄存在不可靠的地方，可是那又有什么方法呢？

九日早晨挤上了火车，人多得可以使人发晕，一面担心自己的生命危险，一面出着汗。幸亏一路上未受检查，只有几个日本兵在车厢内监视着。车过一站，必停至少半小时，多则两三个小时，过了一站不由得吐一口气，真像是在“过五关”了。下午三点到了天津，这才放了心。各旅馆早已住满了人，同学们无处投靠的只好露宿在街道上，有的还受法租界巡捕的鞭打，别人看了只能流泪："谁叫我们是中国人呢？"

租界里是安全的，人们是快乐的，我们看到了那另一种"高等华人"的生活，而我们是失去了家，离开了学校，从此离开了可爱的北平，开始过着流浪的生活了。

等到十三日才有船开到烟台，将近一千人，挤满了一船，受着雨打风吹太阳晒，另加上塘沽日军出进给我们的刺激，我们是在受着外国人的保护啊！十四日船出了大沽口，船上二三百同学立刻就活了起来，看见一只货船上插的国旗时，大家欢呼拍手，开始唱起救亡歌曲来了。从此以后我们是自由了！我们又作中国人了！

十五日到了烟台，住在烟台中学和真光女中，又踏上了真正中国的领土，这快乐是说不出的。几十个人挤在一间屋子里睡，谁也没有发一句怨言，有这样的地方歇着，只要是不作亡国奴，什么苦我们都是愿意忍受的。

烟台的地方当局和商会十分帮忙我们，他们要我们到青岛去上火车，因为烟潍汽车路已没有车了。那时正是青岛很紧张的时候，自然谁也不愿去，所以又接洽好在十八日乘“惠平”到虎头崖去，船票是每人二角五分。若是没有这次船时我们就预备步行五百里到潍县去了。

船走了一夜，十九日下午到了虎头崖，先有一部同学乘舢板在风浪中飘了两小时上了岸，上了岸才知我们在烟台所发的电报本地驻军未收到，正好有谣言说有便衣队二千人企图在那数日内登岸，所以我们就被认为是汉奸而预备开炮轰击。幸亏同学的代表上岸说明了才准一部分同学登陆，另一部同学到夜里才能上岸，他们在船上已是饥渴欲死了。

虎头崖只有七十五家居民，叫他们来招待这五百多人是不容易的，每家给我们煮了一锅稀粥，每人买些饼吃了就算了。夜间大家组织起来，各校同学都编队，占住一定地方，另设纠察队以防汉奸混入。大家都睡在沙滩上，天快亮时又下了一场雨，把我们都淋湿了，又和沙子混在一起都变成了泥土人。放在沙上的隔夜的稀粥中也弄进了许多沙子，吃下去又酸又碜牙，大饼又硬，大家仍是抢着咽下去。把行李装好之后在早上十点钟开始了最苦的一段旅行。我们的队伍由虎头崖要走到沙河，这三十五里路只用了四个钟头。其中有好几里是由沙上走过去的，走起来真是费力。女同学们也是一样的步行，病人就用大车载了去，一路上接受着老百姓的惊奇的眼光。十五里之后在一个村内歇下来，叫人由井里打水来，桶内还有泥沙，谁也不顾清洁，都抢着喝光了。这时想起平日在学校内过的日子，觉得那简直是奢侈！走得疲乏了时就唱起歌来振作精神，直到沙河时，看见真有一条沙河，大家全脱了鞋袜把疲倦而发热的脚浸在水里，有的简直就躺在水里，谁也不愿离开，队长喊十遍集合也没有人理他。

到沙河就住在两个小学里，五十余人挤在一间屋子里睡了一夜，还不如监狱里的囚犯呢！商会给我们送来大饼，咸菜和水，救了我们的命。次日大家出去吃饭，五百多人竟把沙河各饭铺的面都吃光了。等到下午才交涉好大汽车来把我们载到潍县。有人坐的是客车，有人坐大敞车，不幸在路上下了大雨，把他们淋得不亦乐乎，可是那样也得忍受着。晚上到潍县把行李搬上给我们预备的铁闷子车，大家在车站上歇了一夜。

二十二日下午到潍县城内游览，下午都在车站等车，直到晚上九点才把我们的专车挂在客车上走了。临行前有某师的参谋长（？）来给我们演讲，安慰我们，又鼓励我们努力为国家后盾，然后才上了车。每节闷子车得坐八十人，虽不算挤而地板是非常的脏，因它本来是载马用的，不得已困了也得睡下去，过了一夜起来看全身都黑了。

二十三日上午到了济南，那里先已有了许多同学，我们也和他们住在一起，分住济南高中初中和育英中学校。几日的奔波到此才暂告一段落。下车后除了吃饭之外，第一件事就是洗澡，每天都洗下几盆黑泥汤来。

在济南住了四日，每日都出去游览，大明湖，齐鲁大学等地全拜访过了，看来总没有北平好。也许是因为北平和我们更亲切的缘故吧？每天早上九点和下午四点吃饭，摇铃之后大家蜂拥入饭厅里抢座位，饭菜只有馒头，稀饭和咸菜，而我们却把它们看做无上的佳肴，来晚一些的竟找不到一个馒头，只得嚷：“有馒头大家吃！”与平时在校中的生活真是差得太远了。

在四日之间又有续到的两批同学，以后是不会再来的了（我们是第六批同学），相见之下真有两世为人之感。他们曾受到更严厉的检查，北平的学生要到天津去是不容易的，在入站时，有人看着旅客，像学生的就站在一旁，都走完了就把他们送到一间屋子去住，次日一个一个的请出来审问，用许多奇怪的问题来探出你的思想，诸如：“你爱国不爱国？”你怎样回答呢？中学生还好，大学生中尤其是清华、燕京、北大三校的同学都有被扣的危险，许多同学是失踪了，有几个燕京同学化装到了天津被人识破被打死了。我们听到这些只有愤怒和伤心！

二十六日整队离济，有一部分同学留在济南受训，我们认为到南京去可以找到更好的工作，还有一部同学在徐州下车转到郑州、开封、太原、西安去，所以我们有一列专车在夜里十时开出去了。这次又是铁闷子车和敞车，运气好的就坐在一百人一节的闷子车中，倒霉的就只好在敞车里受罪。夜里下了雨，敞车中的同学都睡在水里泡着了，结果病倒了许多人，伤风着凉，上吐下泻，这些孩子若是在家中，那怕没有慈爱的亲人来照顾他们？

受了两天的罪，过了两天不见天日的生活，终于在二十八日下午到了我们的首都。到了站，由车站的负责人招待我们，喝水，洗脸，吃馒头和咸菜，然后把我们送过江来。乘小火车到市立一二中去住，我们的团体到此就完成了它的任务，我的旅行计费了十九天的工夫！

前后到济南的同学约有二千人，与北平的学生数目来比实在是太少了。那些留在北平不得来的同学只能等待机会，或是等待到我们收复失地的那一天才能恢复自由。而我们逃出虎口的同学们中，多半是家在南方的，也有不少北方人，他们抛弃了家乡，离别了家庭，以后又怎样呢？我们只有信赖国家，把自己的力量毫无代价的献给国家，由已往的事实来看，我们是有力量的，这时无论是多么艰难的工作，只要国家说一声，我们没有不拼命去作的。不然我们为什么要逃出来呢？我们爱北平，可是我们离开了北平，一面流着惜别之泪，一方面却想着我们要作夺回北平的先锋！

在团体中，许多青年在一起是有无限的快乐的，我们一起唱歌，用唱歌代替了眼泪，消灭了愁闷，“我的家住在松花江上”是大家喜爱的。“五月的鲜花”也常挂在嘴边。在团体中我们学到了许多事情，认识了许多朋友，我们把手拉得紧紧地，什么力量也不会把我们分散！

回想我们以前所过的快乐的日子，美丽的北平，可爱的学校，和难舍的家庭，都不是令人留恋的吗？是谁使我们这样受苦，流浪？到处给我们的头衔都是：“北平流亡同学”，看到“流亡”二字倍觉凄凉，然而我们还是快乐的，因为我们不会再作亡国奴了，在我们面前的是无限的光明！

杂话北方

徐 盈

平津陷落，至今已达月余，敌人虽然用着种种的方法来软化我们国民，可是国民给予他们的回答，是向心力更为坚固；汉奸们虽然都达到了大欲而成为新贵，可是内疚神明，外惭清议，一个个地眼睛珠子都赤红起来，为免掉他们成为神经错乱的疯狗，国民企望国军弟兄们能够从速到平津给他们当头一棒！

记者留平，已有一月，静观各种伪组织的产生，实与东北的沦陷如出一辙。所谓民意机关之治安维持会，由“不问政治”而“主持政治”，终于产生平市政治领袖，而成为敌我混合之最高统制机关。“三定京师”之江朝宗氏，虽因晚辈阻谏，极力想摆脱傀儡职务，但始终未能跳出士大夫阶级命运的牵扯，依然投到了敌人的怀抱。自“满洲国”赶来的有张璧，潘毓桂诸人，其中以身任警察局长之潘氏，最受日本“感激感谢之沸腾”，因为潘氏的多少设施，实在有不可磨灭的价值；恰因了这样过度地对于日本“文明”的夸赞，而使八月八日入城后的日军不能不有所矜持，没有使城内变为城外，如因有童子军制服而毙人，高丽人以一杆破枪连抢五家等等现象的发生。

北平成为笼城后，最成问题的是民食和治安两件事．面粉最高涨至七元一袋，大米高到二十余元一包，价格是一日数变，粮商莫不大发其财，当局虽然发有平粜明令，但仍禁止不着私相授受。因为粮食问题，继之便引起贫民的生计问题来，然而现在的北平警察手中都是没有一支枪的，满街上只见敌人的草黄汽车纵横，不能兑现的“钢板”纷飞，到处都是在恐惶的镇静中，实在孕育着一个饥民暴动的胚胎。

自从南口我军变更战略后，记者即放弃在平候睹青白军旗之想，而随流亡之教育界群众化装赴津。这一天，八月二十七日有两件事是值得特别记忆的：第一件，是河北省银行公告代兑冀东银行的钞票，第二件是满铁当局代表巡视平津全线，沿站点名。敌人自然心满意足，这特殊化的工作已经完成了。

平津线上，客车是逐站停驶，听候检查，每次检查，是以铁路警察为首，随着中国宪兵及日本宪兵和军队。站内站外，到处有草黄色在活动，每个旅客都在为这种空气所窒息，特别是青年人，他们的激愤是表现在死水一般的沉寂中，驯然地在受支配。窗外，战迹依然大半存在，没有顶的房屋，烧黑了的断垣，以及斫倒了的树和种种掩蔽工事，都历历在目。玉蜀黍的叶子已经黄了，高粱的大穗子饱满得要垂到地上，可是农人们没有闲暇顾到收获，沿线到处都能见到成群的大车和骡马正在泥泞的道上，为敌人在运输粮食和军火。

天津车站是流亡群众的一个鬼门关，每次的客车载来的旅客，天天总有三四十人在出口处，被迫走进了预备好的汽车里，在刺刀下辛酸地别离了自己的伴侣和同胞。据说到了敌人处，一个个地被问："你抗日不抗？"被问者只好这样回答："不抗日！"又问："你是不是中国人？"被问者总回答说："是！"于是敌人立刻便更问一个最难回答的问题："为什么你是中国人不抗日？"许多人便因之而被葬身在海河里。

有人说，最悲惨的一幕，是天津河北区一带的难民的逃亡，手里要拿着敌人的旗子才准在路上行走，可是过桥到租界时又因了手中有旗而被拒绝，亡省民众之惨痛，实非言语可以形容。

津租界方面，英租界较冷静，法租界较热闹。两处都曾接受日方请求而自动检查界内的分子，在乱动中，流亡者只有更快地离开了北国的土地！虽然他们忘不了故土，他们希望着总有一天再光荣地回到老家来。

乱动中的北平

鲁悦明

二十九日早晨，昨夜睡得颇为满足的人们打开本日的新闻纸，准备来温习一遍昨天的“欢欣”，可是，最醒目的题目已经换了时局“急转直下”，宋哲元及北平市长都已离平赴保了。

昨天天黑以后，东城六条东口住的朋友就来电话告我，二十九军司令部已经在搬家，嘈杂却不混乱，似乎是有计划地向南退走。我们在白天虽然已经晓得这几个富于刺激性的消息很有折扣，可是还不曾料到“急转直下”得这样迅速。不过，现在回想起来，那天夜晚所见各方面的情形的确是在兴奋中还有忙迫。

据说代委员长张自忠今晨要视察全市防务，记者在破晓后便环城走了一周，视察换防情形。各城门虽是依然在关闭，可是上面已经没有一个手持大刀“不失一寸土”的士兵。巡察们正在指挥着拆除麻袋，当记者在摄影时，快嘴者流便纷纷喊着:“又照相了！”可是警察们却一声不响地连头都不抬，“今日”与“昨日”宛然是两个世界。

今天，街上最可怜的莫过于前方退下来的“弟兄”，他们从南苑方面退回来，千辛万苦地找到自己的司令部，但司令部里已经没有一个自己的人，在大门口便被“挡驾”，自己还不清楚是怎么一回事。机警些的人，就忙找个僻静处抛了大刀，军衣脱了，仅穿着里面的小衣裤在街市上开始作落魄的孤魂。市民们已经没有人再行另眼相待，虽然和昨天的距离不过只有十二三小时光景。

但由这些落魄的孤魂口中，昨天的血战依然使听众兴奋。而飞机的掷弹，却又是使这次南苑失败的主因。“一·二八战役”时，翁照垣将军曾说：“此次战役给我一个极大的感触，当日人的飞机向我们恣意掷弹时，它们满天乱飞，得心应手，丝毫无所顾忌，虽然不能弹弹命中，但在精神上给我们以威吓，在实际上给我们以损害确是极大的。”他更加重地说：“沪战不是最后的对外战争，飞机的效用将来愈大，难道我们将于第一次领受了这样严重痛苦的教训之后，再以同样的眼睛，看我们许多无抵抗的大都市和民众受到第二次的损害么？”

不幸而言中，二次的损害又来了，第二次的“损害”便落在华北的头上，我们的南苑、通州、廊坊、天津，大半都成了焦土。佟麟阁副军长在南苑统率着军官团在抗战，便是在飞机的轰炸下为国捐躯；赵登禹师长也是在烟雾弥漫中失掉了指挥大刀队的策略，终至于贡献了生命。二十九军的内幕复杂我们是知道的，可是这次老宋的指挥不灵，却很少有人顾虑到，尤其是多年共事的袍泽，竟然为着利禄而成为仇敌，这变化尤其令人不敢想象。

因此，同是招待记者，宋哲元氏竟“本人因火气上冲，耳鸣殊甚，不能与大家面谈”；冯治安主席亦“十七日来，苦心焦思，竟致咯血”，而北平新贵张自忠氏却匆忙得连袜带都没系地于下午二时在市政府就好职，下午三时在政委会又就职声称：“深感材轻任重，不胜负荷，唯有遵循宋委员长爱护和平，为地方谋福利之宗旨努力做去。”其得意，实非笔墨所能形容，不过，他所统率的三十八师当夜违抗了自己师长的命令，而随着“老宋”向南方退去，士兵及下级军官们誓志抗敌，对于得意的长官，不免是有点美中不足了。

下半天，外城每过相当时候开城一次，使难民进城，只允妇孺，不要孤身男人。四个日军站在城门边监视着警察执行职务，男人手中的包里必须打开检视，但女人手中的则只按按有无武器，即准进来，南城一带，香厂和彰仪门里都设立了供给玉米面粥的收容所，所址的面积和难民人数比起来，真是“一粟”。

在朝阳门上，可以看见通州的烟气弥漫。

昨天夜晚，通州一点也不平静，保安第一总队在总队长张庆余指挥下“反正”了，冀东政府的各县一致行动，宛如过去八月十五杀鞑子的故事重演，在民族仇恨的怒火燃烧中，我们的士兵先把监视当地的太上皇某敌人领袖消灭后，便开始作着壮烈的流血，这群东北健儿可以遥向着白山黑水默祷：我们放弃了最后的等待（按：其中有于学忠旧部）！

殷汝耕本是被掳在军中，那张之洞的第十三个孙子，前五省保安司令赵二老爷和其他汉奸都是战战兢兢地趴在高粱地里听着别人血滴在流；一枪打死，紧跟着又是一刀。一阵暴风过去后，又享受了从未吃过的辛苦，到了北平城外，才辗转打电话，叫了个汽车坐着进城，他们进城后才知道殷某是在某种谅解下，并未丧失了性命。

最惨酷的是大部冀东保安队来到北平和二十九军会合，不料到了城根却受到敌人机关枪的欢迎。二十九日傍晚北平城内又听到了沉重的炮声，人心震动，以为是中央军来到，可以死水扬波，谁想到是这幕悲剧呢？这以后，收复冀东显然是不会再这么容易了。

到处是叹息，到处是愤懑，无线电台天天报告着“日机，日机”，华北人民要问：“我们的飞机呢？我们的国军呢？”事情到了自己的头上，才起了真正的感觉，大家的向心力坚强，决非东北事变、热河事变、上海事变时的漠不关心了。可是——

北平已被团团包围着，四面已经透不进一点风来。

笼城落日记

鲁悦明

一　野火四起

日文报称北平为笼城，这比喻是相当恰当的。笼城中大家窒息到万分，一般觉得，宁要狂暴，不要这死水一般的平静。所以谣言多到万分，结果证实了都是热望与空想。可是，制造者和听众们却在其中获得了聊以自慰的满足。

笼城的笼屉的外层，在治安上已经有着天渊之别，虽然这内层的秩序让这群没有枪的警察维持着能到那一天也还是问题。各驻扎日军的城门外，难民是成群结队地逃进城来，从他们的狼狈的情绪上，可以看出那里的环境是有着不能驻足的恶劣，“但只有法，”他们说，“谁愿意离开自己的家呢？”几天来，苦风凄雨频频打击着这群队伍。

外城一带，在逼迫下，已经悬挂出来，用半只面粉口袋，画一个红圈的旗子。在黑衣白箍的警察监视之下，齐化门外，一个高丽人拿支手枪一天连抢三家。日军在守城之暇，最喜到各家串门，一件黄短裤或是一身童子军衣都会构成了私藏军械的罪状。彰仪门外，情形尤为混乱，作检察工作的“堂堂士兵”竟公然把别人的钱钞没收到自己的衣袋里，有反抗的，便说他是通敌的便衣队。阜成门外，有个乡下人系红腰带进城，结果便被日军扣留起来，倒灌凉水，又打个半死，硬逼他供出同伙的人来。这个人，直到咽气时他也没有明白他为什么犯罪。

骚乱的蔓延像是野火，只要是有人开了头，便会毫不停息的扩大和燃烧起来。我们的四郊是猬集着多少散兵流勇和多少流氓地痞，当那侦缉网严密的时候，他们还要“生事”，何况现在是又有了这么好的“机会”。从四郊到内城，即有笼屉也难关锁着这骚动的滋生。

因此，一天天，笼城人们自己造了更多的谣言和更多的虚惊。

二　北平陷落

本是“遵约”不入城的日军，在四日通过了联络员之后，终于在八月八日入城了，满街上贴满了“大日本军入城司令”的布告进城了，这是我军退出北平后的第十日。

关于第一星期的北平状况，记者已有详报。最近一周则只有难民猬集，呈稀有之惨状，据各方统计，目前本城各收容所皆已满额，已突破一万人口关头。各处的墙上悲惨地贴着一些“寻人”的凄楚公告。一家人，东奔西走地到了四方，望干了泪水，谁再也见不着谁。我们所晓得的近城厢一带，服毒自尽的是时有所闻，恰好北平满地都是烟馆，购起鸦片来十分容易，辽远地带的凄惶，当然只有加甚了。

这次中国人官方告诉中国人说是“小住即去”的日本兵，但在布告上宣称为“维持治安”而来，并没有“小住即去”的意思。日军系河边旅团，约三千人及机械化战队，分在彰仪门，永定门及朝阳门三路入城，分驻在天坛，铁狮子胡同及旃檀寺等处。十二点正开始入城，在天安门前集合，一共戒严约四小时，使得全市人民观看，及全市警察的出动。

日军进城前，正是汉奸郝鹏的灵柩出永定门，记者先随殡去城外视察，这时沿途已经没有死尸及伤兵，惟道路因连日落雨，却泥泞非常。青纱帐郁郁茂茂，碧葱可爱，据乡人说，里面还有死尸，不过除非踏毁庄稼，否则便不容易找寻出来。

坦克车响声隆隆，啃得柏油路上留着齿印，有些明眼人，看到这套机械战队，便说其战车的号头是和四日前联络员所携往通州的，同一模式，似乎是从通州又转回来专为给笼城的人们以恫吓的。

当日军集合与通过时，北平的中心区停止交通约四小时之久。这时期，街人只有黄衣警察，市政府供给的载重汽车和城外来的大车，在柏油路上过来过去，偶然地，也由人力车拖过几个西人，广场上的独步，似乎连车夫都感到了骄傲，他们的脚步把地打得很响。满街的观众，也都很羡慕这群“天之骄子”。

警察打着呵欠在劝沿街的观众后退。“反正就是些人跟车”，他连声说，“有什么看头，大家退一退。”后来，又大声喊：“诸位，这要是出了误会……这要是出了误会……”不止，他也不想想，征服之下，还有误会吗？

群众很嘈杂，每一条路口上都是走不出的车，穿不过的人，有人处小贩子便来了，敲着酸梅汤的铜碗，拍打着满是青蝇的烂桃，西瓜贩高喊：“船”的个，斗大的块来——群众嘻笑怒骂着向后退几步，便回敬几句道“好丫头，真利害”，或是“这一头真会装蒜”。

当大军“堂堂”地走过之后，另有一部分“颓废派”随在后面，有的甚而至于坐在人力车上一个个地把头垂在胸前。东交民巷的美国兵营高墙上有人在摄影，记者也希望能够把这一部分随着“堂堂入城”的机械队一同公诸世界——让世界看看军阀专横下一般士兵的疾病和劳疲。

交通恢复后，天安门前留下的是马粪，烂纸，和坦克车轮印。我们地方维持会的衮衮代表和新贵们，便在这轮印上，飞驶着汽车赶去叩谒“司令”了。

三　回忆庚子

这次日军的入城，令人回忆到“庚子之变”，四十岁以上的人，他们已经有两次看到这古城受蹂躏。陆树德氏曾谓:“庚子之变，误于不通洋务者，惟有怨恨畏缩，而不知自强；又误于熟悉洋务者，只知谄媚逢迎而不知大体。”这几句话，至今仍有再念一遍的必要。

北平落“日”之时，各阶层的感慨虽各个不同，但自不知不觉以至于先知先觉，各有其激愤乃属当然。某慈善会之老祖又行降坛，曾谓立秋日（八月八日）晨微雨，午后北风，晚见北斗星则可以免灾。此说当日一一应验，而日军亦于是日入城，北平由是能否因而免灾，这恐怕任何相信老祖的人都难承认。这种迷信，比起庚子时代的上本求神请怪的群臣，自然已有天渊之别。

陈敬如诗云:“五色旌旗成列国，万家灯火尽夷人。”实亦为今日笼城之良好写照。可是，不必悲观，——

昨夜听到炮声了，也许不久笼城就又有了自由的空气。

古城剪影

《字林西报》

现在北平的情形，在许多方面，和“九·一八”时的沈阳，很有相像的地方，尤其是忽然间的盗匪蠡起，更无二致。在从前，北平四郊，一向是中国的一片干净土，就是在以前内战时黑暗的日子，这块地方，也还保持着安靖的秩序。可是现在，已经成为一种无政府的严重状态，盗匪充斥，自由出没，带着各种政治的色彩和目的，把整个的北平四郊，渲染得有声有色。

这些人马，是刘桂堂的部下，号称“爱国军”——与“满洲国”的义勇军一样——目的是在采取游击战术，以反抗日本。他们的实力虽然不大，可是已经引起日本侵略者的注意。他们的分子很复杂，除掉刘桂堂的部下而外，还有失散下来的中国军队和保安队。他们没有固定的粮饷，所以一切人力，物力，以及交通工具，不得不取之于当地的人民。日本人吃过冀东保安队的大亏，通州的大屠杀，把他们吓坏了，所以对于北平四郊的警察，不敢再发枪械，因此对于这些所谓盗匪，实在无法压制。

在颐和园北面两英里地方的山脚下有一所天主教学校，本来是训练教育工作人员的。山上还有一所房子，名叫 La Cuvette，是一个避暑的山庄。这所学校里面，到八月十三为止，聚集了很多的人，这种天主教徒，各国牧师（有的仅仅是去参观的），学生，以及上千的中国逃难者。八月三十日早晨，这所学校，曾一度被所谓便衣队袭击，人数共有二百人。他们服装极不整齐，有便衣，有军装，有只戴军帽者，形形色色都有，所以称为便衣队，颇为相宜。他们里面，分子也极复杂，有学生，他们参加的唯一目的，是在利用这些人，以游击战术，来反抗日本，例如他们的首领，就是这样的一个学生。有逃犯，他们是被北平附近保安队放出来的。有失散的兵士及警察，甚至还有真正的盗匪。里面许多学生，都说得一口好英文，而且对于外国侨民的态度也非常之好。

这队便衣队所以袭击教会学堂的原因，大概想得到些枪械和军火，并没有什么恶意。至于劫财虐人，却是一部分真正盗匪干的，但是对于外侨，并没有丝毫的侵害。有一位外国教士，因为过分惊惶的缘故，腰间中了一枪，这位开枪的人，一定也是出于误会，并非他有心要这样做的。他们的驻所，就是山上那所避暑山庄，他们带了十个外国人和一百个中国人，一齐回到那所山庄里，后来外面起了枪声，想必是追兵赶到，于是他们又下山向北方退去。沿途对于外国人，一点不给他们苦吃，后来又无条件的放回四个，其余六个，他们先要求一百五十万元，后来又减到五万元做赎身费。

北平本身的情形，也不见得怎样好，商业还没有恢复的希望，一部分大商店也都关着门，其余商店，也把门半掩，商人们更是惶惶不可终日。考其原因，表面上似乎是因为警察徒手，恐怕盗匪的光临，而实际上他们还是恐怕日本兵。

现在城里的日本兵，在他们长官眼睛之下，纪律还算不错。但是据外国人目击者谈，单身的日本兵走入店铺，借检查为名，不付钱而取去东西或竟要求现款的事实，已经数见不鲜。日本兵出来，虽然是买东西，也都带着来复枪，所以商人们对于这种举动，自然是响都不敢响一响。

日本军事当局，曾经布告人民，如有受扰等情，应立即报告，以便调查后，对肇事人加以处罚，所以日本军事当局对于他们兵士这种窃盗行为，当然是心里明白；但是这种布告，并没有什么实际价值，一般受害的人，谁敢去报告，以免将来的报复。所以受些损失，情愿自认倒霉，不敢去冒将来更大的危险。

挥泪话天津

《大公报》

“卢沟桥事件”发生后三个星期，平津两市在毫无准备中同时陷落，又两星期，南口，上海先后发动强烈的抗战，全面的持久战业已开始，举国上下正在准备一切牺牲，天津不幸沦为敌人的后方，汉奸的活动，与敌军的残酷，处处使人落泪，困守在这里的人们，自然也时时尝到辛酸滋味。谨将一个半月以来津市情况，拉杂写出为后方同胞告。

津市繁华，素有“小扬州”之称，自经敌军炮火，虽然租界里热闹如昔，但市区已成一片劫灰。不过这种牺牲，在全面抗战发动时，殊难避免，何况仅仅是整个牺牲的一小部分，所以在天津的有识之士，甚至于大多数民众，都不以此次损失为可惜。但在敌人呢，恣意轰炸的结果，除去毁灭一部建筑物外，在国际上博得残忍暴虐的恶名，实际得不偿失。目击日机轰炸毫无抵抗之文化机关的西洋人说：“他们的技术还不坏。”

天津市保安队之奋起抗战，完全听命于警察局长李文田。当时李奉命想要“出奇制胜”一下；不幸北平情势正在天津发动的那一夜突变，以致功败垂成。事后据悉，我忠勇之保安队，确曾将东局子敌兵营机场包围，而日租界海光寺附近，我军也进到相当地点。士兵的精神不因伤亡之众，以及火器之窳败而失望与扫兴。天津虽不是一个比较优势的战地，但倘使北平情势变得不这么快，退却的命令不这么急遽间下来，我军便不致败绩的这么惨，损失也不会这样重。

李文田是二十九军三十八师副师长，兼任天津市警察局长，是张自忠最近亲信，对于日本人，向来依照张自忠的意旨而与之周旋。“卢沟桥事件”爆发，李还奉命与日军参谋长桥本群折冲多次。李在当时好像是主和一派，尝对人发挥其主张不战的意见，以为：“做民族英雄效法史可法容易；而生灵涂炭扬州十日的惨剧，恐难避免。”果然，不幸而言中，因平津局势陡变，李本人做史可法未成，而扬州十日之劫，已临到津市百万民众头上。后来李即率队集中马厂，在津浦线上与敌周旋，一个半月以来，因器械不逮敌军精利，但敌军不能顺利南下，须知是三十八师一部忠勇将士抗战的结果。

敌机在七月二十九日开始轰炸，市政府，警察局，法院相继被毁；文化机关如南开大学中学，女师学院等悉成灰烬。炸弹大炮之外，继以纵火焚烧，特二区市立医院因收有伤兵，敌尝拟施以不人道之轰炸，特一区当时有难民四万人，敌谓有保安队在内亦欲投弹，虽经领团交涉阻止，但其凶焰已可想见。河东大直沽因当地民众抢其粮台，遂大肆屠杀，河北一带更有日韩人率众劫掠，直同盗匪世界。河北及西广开各处，日军随意奸淫妇女，无异禽兽！

平津失陷后，两地正义报纸，在敌军压迫之下，即无法出版，新闻界之被逮捕者，最初有《申报》记者王研石，其后《新天津报》社长刘中儒，《益世报》经理生实堂都如石沉大海，查无消息。

《庸报》是日军部的机关报，所载除同盟社消息外，大部分系挖空心思，随意造谣。在各种正义报纸被禁卖的时候，日宪兵在市区各商号强迫派卖。但那些消息，只是日本军阀借以欺骗他国内民众的玩意，津市虽然陷落，大部民众是爱国的，对于《庸报》，差不多都弃如敝屣，谁也不睬。此间民心，仍十分信任政府，日人的谣言，只白遭骂詈。在津出版的英文报纸如《泰晤士报》（英），《华北明星》（美），则极为一般所爱读。此外有多种“号外”，刊载中央广播电台广播消息，有时夹杂些道听途说的新闻，也能畅销一时。编撰这种刊物的人，虽多系投机分子，却也不失为“爱国志士”。

天津新闻检查所，已由“治安维持会”接管，改称曰“天津市新闻事业管理所”，由那里规定出几种可以出版贩卖的报纸，其内容如何，可想而知。人们唯一的希望，是每晚听一听中央广播电台放送的消息。无线电事业，在近期间确曾做了极利市的买卖。

日本处心积虑，破坏中央电台的播音，已非一日，到今日把这种卑劣的手段使出来，搅得收音机里面，如鬼哭神号。但敌人的阴谋，毕竟还差了一着，镇江、上海、长沙、汉口各地广播电台一样会转播中央消息，每夜街头巷尾，老是有许多人围在有收音机人家的附近，屏息静听，只有从无线电里希望佳音。

九月一日所谓“治安维持会”成立，群魔乱舞，丑态百出。委员长是曹锟时代包办贿选的高凌霨，委员则有钮传善等一班人。下设四局，总务局为袁世凯时代的秘书长孙润宇，公安局为程克时的公安局长刘玉书，财政局为旧直系智囊张志潭之弟张志澄，社会局则为近任商会主席之王竹林。王已八十多岁，乃竟出为傀儡，并兼长芦盐务管理局局长。司法机关河北省高等法院与地方法院，均由方若充任，方字药雨，也是六十岁开外的人了，办公地点则在日本租界。

现在津市可以看得见的国家机关，只有中央、中国、交通三行，及津海关与电报局，电话局而已。津海关因税务司梅维亮之交涉，得免遭劫掳，到如今还与海关监督孙维栋并力支持。据说盐税也曾由税务司办妥，不致被敌接收，所以很多人对于长芦局长李翰华之拱手将现款百余万元相让，表示怀疑。只有电报电话两局，在百般恫吓，种种困难下艰苦撑持，表现出奋斗到底的精神。

伪治安维持会成立时野心极大，连商品检验局都派人接收过去，对于电报电话两局，自然垂涎三尺。日本领事曾数度找我电报局长王若僖，大肆威胁，最后并有汉奸传话，谓将置王于死地。但王氏的刚毅精神始终不屈，一直到现在，还在率领全局职员，按部就班做去。虽然往南去的电线路，已被日人强抢了去，但无线电依然通行。现除北平不通外，其他国内外电报照常收发。至于北平方面，电报局已由一佟子安者充任，全体职员被留，虽照收电报，但却要送到日本人所办电局拍发。

电话局现在显已分成三个系统：六局（北局）因在河北，首先被“维持会”接收，委由张仁侃任局长，当时野心很大，并拟接收三、四两局（三局即南局，在英租界，四局即东局，在义租界），被电话局长张子奇大骂一场，抱头窜去。二、五两局则自被敌机炸毁，机件也悉被抢去，日人现由“满洲电信株式会社”筹设电报电话两局，一方面收发东北北平各地电报，一方面在日租界装设手摇话机八百号，接线者悉为日本女子，并拟在本年年底完成装置六千号的计划。三、四两局则因在租界内关系，仍在我手中，只是特一、二、三区的电话费租已无法收取。其他交通机关，邮政局虽迁回特三区总局办公，但邮件须经日人检查，已恢复津变前数日情形。

《大公报》天津版一读者　九月十二日

沦亡后的平津

桐　古

自七月二十九夜，宋哲元率部离平后，五百年故都与文化中心，军事重镇之北平，遂沦为沈阳第二。宋氏退出北平前曾与日军约明愿自动离平，而以日军不驻屯城内为条件，结果虽由日军首肯，然而在八月十号那天，残暴凶恶的日军终于不顾信义的大摇大摆的进城了。一般无知识的民众，围在街上看热闹，知识分子躲在家里忍气吞声，同样的是毫无办法。日军进城后分驻天坛，旃檀寺及铁狮子胡同三处，人数约有二三千人。政治方面由日军指导下的伪维持会出面活跃，治安方面则由日本宪兵会同徒手的中国警察维持，逮捕搜查，弄得满城乌烟瘴气，暗无天日。

日军入城后第一件“德政”为“肃清”工作，对于中央职员，二十九军部下，及有蓝衣社，共产党之嫌疑者，横加逮捕残害。逐户清查之说虽然传了许久，却还没有实行；不过由每个住宅呈报确实人口，并以全家性命为担保，具结声明，绝对没有匿存违禁物品和“皇军”所认为不法之徒。至于日军驻屯区域附近之人家，则调查甚严，其手续分为三部，最初由日本宪兵会同华警按户搜查，再则各别的审查学生，最后将被认为不稳分子者传至军部严讯。属于此类者大都凶多吉少，有死无生。此外凡驻军区域之居民，均须缴纳四张半身相片，由日军部发给通行证，出入经核验后方准通行。

平常街道上不常碰到携带武器之日军，当南口战事激烈时，败退下来的日兵，三五成群的充斥在街上，很使人民感到不安。当日军进城时，曾由香月出过一张安民告示，并称日军如有骚扰人民和不法之处，可由人民随时报告，以便加以惩处。这等放屁文章，自然是毫无效力，俯伏在暴日铁蹄下的手无寸铁的民众，战战兢兢保全性命之不暇，那里还敢提到什么权利，公理！对于日贼的暴行只有逆来顺受。某次有日军数人赴前门大街某肉铺购买牛肉三十斤，购毕不付分文，掉头而去，掌柜的向之恳求一点代价，一个日兵很慷慨的付给钢板二枚（约合国币二分），掌柜又再三哀恳，结果又给钢板二枚。再要时，日兵拔出刺刀凶狠地向着：“还要不？”西单牌楼的几家钟表店也遭过日兵的光顾，每人取去一只精好的表，只向店伙笑了笑，就算是付过代价了。古玩铺里的小巧精美的古玩，只要“皇军”看了称意，便是揣袋而去。诸如此类的“善行”，实是不胜枚举。前门大街一带的商店，曾经一度消极的关门歇业，但是在“维持会”的威逼下，终于含着一泡眼泪开门复业。全市商业凋敝，市面冷落异常，如北平繁华所在的前外大街，王府井，西单，东四，西四等处，一到晚间七时后，商店便行收市，行人绝迹，其凄凉情况，有如在一个北风凛烈的严冬夜里。平常街上行走的多是老弱妇孺，壮丁为避免被拉到前线服役，大多躲在家中。至于青年妇女，则更裹足不敢出门了。

截至九月十六日止，北平四城尚未全日开放，每日上午九点至十一点，下午三点至五点为开放时间；出入行人每次多至二千人，故非常拥挤。城外汽车照常行驶，不过须受到日兵的盘查。

学校开学的寥寥无几，一般中小学以校长人选大成问题，及学生集合的不易，经费无法维持等原因，故不能开学。至于国立市立的大中小学则更无论矣。燕大已开课，但学生仅百余人。最近辅仁，中法两大学亦有开课之望，北大一院现新驻上日军，师大校址亦有被征为兵房之说。总之文化机关，将被破坏无遗也。

关于新闻事业，北平各报均已由日方接收，每日刊出许多夸耀“皇军”胜利情报及占领上海，苏州等等无稽的谣言，新闻检查极严，除同盟社电外，其余完全被扣。人民要想得到一点真实的国内新闻，唯有由无线电中收到中央广播电台之播音。近来日本更在北平设一电台，其波长整数等完全与中央广播电台相同，专以干涉混乱中央电台之音波为能事。九月初旬又有逐户搜收无线电之说，但迄未实现。

公共休息所如中山公园，北海等处，本来当此金风微动之时，正是游人极盛的季节，现在却非常的清静冷落，每日门票收入不足十元。至于娱乐场如电影院，台球室等营业，则门可罗雀，惟几家大戏院，则以故都为戏迷发祥地，生意尚称不恶。

粮食在北平的确为一严重问题。米一袋价高至二十元，面粉每袋七八元。近来米面缺乏，为调整民食故，不准购买整袋的米或面，只许一元二元的零买，听说这些米麦还是来自日本兵营中。

平津交通现已恢复，每日有二套车由北平前门和天津东站对开。但沿路盘问甚严，每到一站均有日本宪兵上车搜查，言语偶有支吾者辄遭凶殴，其对于学生装束者尤为苛酷。天津总站现在扣有旅客八百余人，据其中释放出来者云：在被扣的三小时内，如果没有被释，那至少要被扣由三五日至三四十日不等，释放手续麻烦，极经周折。出入车站，行李等物均须一一检验，帮同日兵检查之华人多奴颜妾态，甘心献媚而不知耻，令人气短。

天津南市河北等地商业，极端凋零，战后之破瓦颓垣，依然存在。至租界方面，则因为战事爆发后结集着许多资产阶级，所以反形热闹。中秋节前后，街上满摆着鲜红的柿子，热烘烘的糖炒栗子和各种各式的月饼，车水马龙，大家忙着过节，丝毫没有河山变色的样子。

二十六年国庆

暴日铁蹄下之北平

《大公报》

我们可爱的故都，自从沦陷到暴日的手里，情形就混乱了。谈到北平的现状，真是头绪纷繁，无从说起，我们姑且先谈谈北平各学校的情形吧。

北平现时尚在开学的大学，只有教会立的燕京和辅仁两个大学。燕京方面现时只有三百余人，该校因为开学时所有本校的学生，大部分都集结在天津，不敢回到北平去，该校当局曾派了一位美籍教授博晨光，到天津去接他们回来，并且预备了一列专车，可以保护他们的安全，结果回去的学生，还是少数。该校开学时，曾受过北平日本人一度的干涉，后来经该校校长司徒雷登氏向日方保证该校学生的行动，干涉开学的问题，才算过去。此外尚有北平协和医科大学，也还在照常开学，不过学生也剩得不多了。至于国立各大学，清华是已经正式结束了，该校当局方面组织了一个保管委员会，于上月中将一切校内书籍、仪器、用具等给封存起来，所谓北平地方维持会曾派人到那里检视过一次。清华的教授与学生，大体多已安全的离开了北平。日本军队曾一度有开驻清华的拟议，但后来因为清华四面有围墙，日兵恐受袭击，结果算是没有实行，校内大致尚完好，师大和北大原来都可称为最高的学府，现在却已变成了日本的兵营，两校的门口，都高堆着沙袋。其他国立各院校，情形大致相同。中学方面，能够开学的，也只有教会和私立的几个中学，如育英、汇文、崇德、崇实、贝满等校，但人数也是大大的减少了，汇文只有三百余人，育英有六百余人，至于课程的内容，日本人还未曾严密的干涉，这当然是因为日本军事方面尚未得手，无暇顾及这些细目。

现在的北平的市长，名义上是江朝宗，公安局长潘毓桂，此外还有一个地方维持会。所谓日本慈善性质的宣抚班，其实大权全在潘氏手里，因为他比较最得日本人的信任，同时他的活动能力亦最高。可以说北平的局面，除去最高的日本人，受着一人的支配。北平市面上看来似乎相当的稳定，其实内部是非常恐慌，其中最显明的一件事，就是日本金票下跌。在事变前，日金每元合河北银行票为九角三分，最近反跌至九角或九角一分之间，以日本为战胜国，这是反常的现象。其次粮食方面，在八月间曾发生一度恐慌，因为日本人在市内征粮，大米每包涨至二十元，面粉涨至十元，后来至九月初，地方维持会宣言要救济民食，但又不求粮食的充分输入，而只成了一个平粜会，规定米每包十五元，面粉每袋五元五角。这种规定的结果，只有白白牺牲了几个粮食商人，他们被枪毙了。致死的原因，就是因为他们不按官价批发。自此以后，市内所存的粮食商，完全逃避了。在市面上有钱亦不易购得到粮食，要买粮食，非得托人私相授受不办。路上因为日军军用汽车毫无秩序的横冲直撞，被撞死的人日有所闻。在长安街中山公园前，三座门等地，日本军用汽车因为不按左上右下的路线走，屡次见他们发生自己互撞的惨剧，市上的商店，到晚间六时就都关上大门了。后来所谓地方维持会的当局，为维持市面的繁荣，规定至早得在十时后，始准上门休息，但是结果仍有无数商铺在七八点钟的时候，就暗自将大门偷偷的关上了。商铺现时是不许停业，各娱乐场，虽被迫开门，然而能真正有买卖的，还只是唱京戏的几家戏院，其余就是电影，也都是只登广告开演而不放演。光陆影院曾一度改演过大戏，结果也仍然是门可罗雀，至终不能避免与其他影院遭遇同样的命运。作小买卖的对于和日本人交易，在以前原来是无所谓的，可是到了现在，日本人不只买东西少给钱，有时甚至不给，更甚的就是非好东西不要。小商店的店主，有时恨极了，就骂他们。有一次，有一个日本兵亦很表示着十分同情地说：“我们也是没办法，我们出来已经一个多月，只有在出发时领到过四元钱，我们那里有钱来买东西呢。”在前门车站搜查旅客的日本兵，搜着十枚的铜元票，他们也都会塞进自己的袋子里去。

这里值得特别提出的两幕傀儡戏，第一幕就是中秋节的所谓“万民同庆中秋”的滑稽剧。在那天由公安局下令各家各商铺，都要悬灯结彩，一时市上红灯笼供不应求，有许多商户人家因为买不着红灯，只得把白色的纸灯笼挂起来。后来被日本人发现，大不高兴，以为这是不吉利的兆头，结果又下令给潘毓桂，发动全城警察，按户检查，如查到有挂白灯笼的，就立刻给染成红的，一时各街各户都溅满了鲜红的颜色。有许多善于预言的老人家便互相私语的说：这恐怕是屠城之惨剧的先兆吧！晚间有日本人组织的“宣抚班”领导提灯游行，并规定各商铺各学校都要派人参加，但大半都不敢参加，但是又迫于日本威势，而不得不参加，结果只得用钱雇了不少的流氓，提着各代表的灯笼游行。当晚大家都怕出事，沿路商家虽不能敢明白的将大门关起来，可是主要人却都逃避一空了，结果游者自游，逃者自逃，冷冷清清，领导的日本人，不久也觉得没趣，无精打彩的亦作鸟兽散了。第二幕便是“祀孔”，其滑稽的情形，更非一言半语所能形容了。日本人与汉奸本是同床异梦，其无聊的程度与“过中秋”是一样的。

由北平到天津，是北平逃难群众的鬼门关，旅客在北平东车站，就要被搜查一遍，沿路也要搜，到了天津东站，那更是最大的鬼门关了。普通的人，凡是高大个子的，似学生的，不管清红皂白，先给扣留，每次车总有数十数百个同胞，毫无原因的被扣留，其扣留的标准不易捉摸。逃出的人，亦只有碰命运而已。扣留后的遭遇，最惨的，便不容易寻找下落了。不过在这当中，也有不少可注意可发噱的事，也更可看出日本兵士对此次战争的态度。他们审问被扣难民的方法，非常使人奇怪，当被扣的人被带到日本军司令部以后，只略询问姓名，做何事，何处去等简单的问题。如名已登鬼录，当然没命，如普通人无大可疑的，便囚在一大屋中，等到半夜，忽然有一人将他推醒，仍问日间所问的问题，如答对了，天明后便可无事放行。如有不符时，那下落恐怕就不得而知了。有一次有一清华职员，赴津办事，因其体格太好而被扣了，和他同行的尚有一位同事，亦同时不知所以然的被扣留了，后来知道因为他恐怕车中买不到吃食，登车前，先在北平法国面包房买了一盒点心。日本兵把他带到日本军司令部后，第一就问他手拿的是什么，同时把他的一盒点心抢过去，他们发现了这是一盒点心，便如狼似虎的乱抢起来，然而这个清华的职员可就乘机安然的走出来了。不幸而被留的一位，日本兵就异想天开的令他“打滚”。因为他体格太好了，他不会打滚，日本兵便问他会作文章不会，他答应是会，日本兵立时就出了三个题目，第一是“殷汝耕与×××的比较”，第二是“地方维持会的办事何以不努力工作论”，第三是“事变之经过”。等到天色亮了，他这三篇文章亦好容易作完，后来他对人说，自有生以来，未作过这样难的题目。守门的日本兵这时候看看同伴都睡着了，就走过来，抢过他的笔，写着日本文法的汉文，问：“贵方有钱否？”他答有，日本兵又写：“有多少？”他答：“三元二角。”日本兵继续写：“可否全给我？”后来经这位先生用笔和日本兵纷争的结果，将两元二角钱给了看守的日本兵等天大亮，他也得安然到天津租界了。

故都归客话“皇军”

钟　馗

自从平津在敌人铁蹄下沦落以后，当地的同胞痛苦万分，尤其是新知识阶级分子，如各校教员学生，更觉危险。他们的性命是朝不保夕，随时可以断送在敌人的枪下。前日有舍亲从天津来，讲述一些关于残酷而无耻的“皇军”的事实。笔者写下一些，使读者明了北地同胞的痛苦，以及“准亡国奴”的悲哀。

敌人最痛恨学生。他们以为个个学生都是抗日分子，必须置之死地而后已，因此才有清华学生数百被杀，燕大学生二百被捕的惨剧。多数的学生从前向有“丘九”

的绰号，在平津可算是气焰万丈，声声赫赫，迨敌人蹂躏平津以后，他们不得不低声平气，设法逃生，以免作无谓的牺牲。但是车站口都有敌军把守，反复盘诘，要逃过鬼门关，确不是容易的事。所以要为保全性命起见，逃亡者只可用乔装的一法。上月间，某校的一群学生，自北平逃到天津，到天津后再设法南下，便采取这一法。

他们有乔装乡人的，有乔装铺伙的，以免敌人注目。可是有一些为虎作伥的朝鲜浪人，眼光锐利，常会辨别学生，将学生而乔装为乡人的扣留起来。有一位某君，认为乔装乡人这一着，并不绝对可靠；他竟异想天开，扮成一位新郎。他的同伴全舍弃了他们惯穿的西装，换上了灰布长衫；他反选一件漂亮挺括的新装，昂首走进了月台。

刚进鬼门关，迎面遇着一个鬼兵，鬼兵操着生硬的国语问他：

“那儿去？”

“上天津。”他说。

“干什么上天津？”鬼问。

“接我的未婚妻结婚。”他说。

“结婚以后上那儿？”

“当然回到北京（他想说北京比说北平妥当些）来。”他说这一句时，浑身觉得不大舒服，可是面色镇静，一些不犹豫地答复。

鬼子盘问以后，又实行搜查。结果在衣袋中搜出了几张恭请证婚人的大红帖子。鬼子真相信了，放某君过去。其实那位某君，正急于逃命，那有迎接未婚妻的雅兴？大红帖子是预备好的护身符，果然能驱鬼。

某君在和鬼子鬼混，及红帖掩护之下，离开了北平。他到天津以后，不禁狂笑一阵。一则庆祝他的虎口逃生，二则想想这出喜剧，可算是东方萧伯讷的杰作。

他的同伴换上了长衫以后，幸能瞒过了鬼兵鬼将，平安的到了津沽。但是他们究竟怀着一肚子鬼胎，不很放心。在津站下车以前，他们鬼鬼祟祟的脱去了长衫，将行李扎成一个包裹，扛在肩头，活像一个苦力。可怜他们素来娇养惯的，何曾吃过这种苦头？他们怨谁？怪谁？恨谁？

另有一位某君，大概素有饕餮之癖。他在这非常时期，居然尚有持螯大嚼的兴致，从北平带一篓螃蟹到天津去，预备回家沽酒赏菊。这一篓横行将军，在月台上竟和敌人气求声应，窸窸窣窣作响，一个“皇军”军人听声起疑，擎起刺刀，对准某君心脏，勒令解开篓子查验。敌人看见一只一只的鲜蟹，馋涎大滴，竟老实不客气说（他自以为这样对待支那人，已经破格优待了）：

“可不可送我一只？”

那一位逃亡者不知是素性慷慨，还是福至心灵，直爽的说：

“你要吃蟹，尽可拿几只去。”结果，鬼子分润了肥蟹七只以后，拍拍那位逃亡者的肩头说：“好朋友！”

另外一群一群的鬼兵，经他招呼以后，不再留难。七只螃蟹保全了一条命，好不侥幸也！

又有一位某校的职员，在月台上被敌人扣留，带上了宪兵司令部三楼。原来敌军在月台上扣留旅客是采用淘汰制，分别去留。旅客上车或下车时，先经过了鬼兵，浪人，和汉奸等的甄别；一部分经敌人认为可疑的，便要扣留，带到司令部一楼。在一楼上，敌人审问数小时以后，将一批释放，带其余的到二楼。二楼上也要同样的盘问，此后再有一批被淘汰。所余的选手再登三层楼，自然凶多吉少。那位职员既经挟上三楼，自然不免心惊胆战。

宪兵（？）审问时，提出的问题除姓名职业外，还有种种可笑可气的。例如某人与殷汝耕比较怎么样？地方治安维持会的分子好不好？被审问者只可顺从敌人的意志，恭维一番，否则结果还堪设想吗？那位职员照例受审完毕时，有一个“皇军”分子拿出一张五元伪钞，叫他掉换一张真钞。幸亏他袋中尚有几文，很慷慨的取出了十元票两张，连原钞一并奉送。那个“皇军”分子大约贫血已久，见钱眼开，竟对他另眼相待，护送他出了司令部。这是留下买路钱二十元，调一条性命的故事。他自己虽庆幸逃生，而堂堂帝国的威严给他断送了。

经过三审而未释放的人，就该受苦了。敌人用完全不合人道的方法对待他们，令他们屈打成招。例如鞭打和针刺指尖等等的事，是常有的。有一位某君本不是姓宋，而敌人硬派他姓宋，叫他说出宋某军队驻扎的地点。他熬不住严刑的苦楚，承认姓宋，捏造了一个地名搪塞过去。

大批的同胞——多数是学生，被拘留在密室里。一间狭小的屋子，容留几十个人，空气的污浊当然不用提了。墙上有一扇小窗，外面钉着铁棍木条，以防“犯人”逃逸。每天的饮食是米饭一碗，白水一杯。被拘留的一群，就算未曾枪毙，不闷死也得饿死。学生们食量很宏，在这种环境之下，如何还能支持？他们虽有十一秒跑百米的本领，也无从施展了；只得勒紧裤带，渡过残生。他们有一种倒便桶工作，人人愿谋的。他们情愿倒便桶，因为借此机会可以走出拘留所，吸取一点新鲜空气。

其余流亡者怎样同敌兵奋斗，以求死里逃生的详情，虽不知悉，可是以小利诱惑无耻的“皇军”的事是常有的。他们最好能私相授受，将钞票塞进某一个敌兵的手里，否则将要因分赃不匀而惹起“事变”。他们譬如打醮，花几个小钱驱鬼，未尝不是明哲保身之道。

在受盘问时，旅客切不可说想到上海来。敌人最恨到上海来的难民，大概因为他们心目中已有一种深刻的印象，记得上海人是抗战勇士，而怕平津人传染了上海人的习气。于此可见淞沪抗战的影响很深，竟使敌人有所忌惮。我们就这一点不妨自豪自慰，并应鼓励抗战勇士，再接再厉，至他们屈膝而后已。

因为种种关系而不能脱离虎口的平津居民，时时提心吊胆，恐怕祸从天降。他们常有被敌人拉去做苦工或当兵的危险（关东军有三分之一是我们同胞，三分之一是朝鲜人，在敌人监督之下作战）。他们家中的大门，必须日夜开着，以便敌人出入。敌人在任何时候，可到任何地方搜查。万一搜出爱国或抗日文字图画，不用说是有凶无吉。一本党义是罪状，一张报纸是罪状，一套童子军装也是罪状。平津本地出版的报纸，全是敌人的喉舌，替敌人宣传。敌人创设了电台，搅乱中央广播电台的电波。因此平津的大多数百姓，譬如睡在鼓里，不知前方的情形，更不知敌军大溃退。敌人希望平津的居民，个个是“皇国”顺民，俯首屈膝，才算得到胜利。天津有英法租界，拘束他们的活动；北平则无处不是“王土”，无人不是“王臣”。因此天津人如迁到北平去，比较自由，不必经过严格的搜查。北平已经成了死市，鬼气森森。店铺十九关门，不敢交易，因为敌军常会免费光顾的。敌人又贪财，又好色，时时奸淫掳掠，以餍兽欲。无数的幼女老妇已在这种环境之下牺牲了。

住在北平的人而自鸣得意的只是一群大汉奸。他们纷纷活动，欺压同胞。他们忘记了自己的爹娘是中国人，自己的祖茔是在中国地，甘心认贼作父。他们的组织复杂，有某派某系的腐化分子，有向来自称清高斯文的艺术家；简单说，都是老而不死的狐群狗党。他们的姓名曾登在各报，不必再污篇幅。我敢说，他们目前狐假虎威，横行不法，将来必有一些尝着石友三所说的“王八旦”的滋味。那时必懊悔不早点自杀，免得留下盖棺论定以后的臭名，我所认为可痛心的，就是他们既非目不识丁的乡人，又非有骗取衣食必要的穷光棍，而竟甘心做汉奸。政府应该将他们满门抄斩，才不致留下小汉奸的孽种。我更痛心的说一句话：万一上海或其他城市沦落于敌手以后，各地也会有同类的汉奸，恬不知耻，替敌人做走狗。一些马路政客，摇身一变，立可显出原形。

可是我又很乐观的说：已失的国土有健儿浴血克复，未失的有勇士誓死在保卫，汉奸不诛自灭，何足可虑?

国事至此，同胞还不醒悟？同胞们，我们如再不扑杀此獠，试问何处不是平津第二？何人不是受过痛苦者第二？我们要奋起“共赴国难”，定有还我河山，歼灭倭寇的一日。前线的将士正在浴血抗战，后方民众只有“有钱出钱，有力出力”的一法，才对得起他们。

舍亲从天津来，很感困难，因为某轮船公司买办故意刁难，不肯卖票。幸经托人说情，谋得一个茶房房间中的舱位，出价比平日的官舱高三倍多。笔者寄语该买办，不可过于利欲熏心，倾轧同胞。要知道“覆巢之下，安有完卵”，此时国人正应携手共赴国难，焉可再做不顾天良的事。

廿六年十月十九日　上海

从北平来

须　旅

自平津失陷，住在那里的中国人就开始了黑暗的生活。一方面受着敌人和汉奸的直接压迫，一方面还受精神上的痛苦。遥望南方到处燃起了抵抗的烽火，而且还偶尔能听到胜利的消息，心中兴奋，莫可言喻；而身羁北地，没有法子表现自己的感情和力量。这种苦闷至今还盘据在困守敌人后方的人们心头。

现在我个人总算脱离了那死地了，脚一踏到上海岸上，就目睹了壮烈的图画，心里的激动是没法描摩的。回想在北平那三个月光景的潜伏生活，恍如隔世。那被压迫的黑暗的生活，我何幸而能够脱出，重回到母体中来……这心境，只有所谓“绝处逢生”这四字可以说明。

南方的同胞不能知道平津的近况。这是难怪的。南方的英烈抗战正拉住了人们的观感，转移了注意力。但从此就不必顾平津了么？却不！平津是中国的，即使失陷，也必收复。张申府先生在一个刊物上大声疾道：“毋忘北平！”是一句沉痛的呼号。

现在我想把在平所看到听到的近况作一报告。描述这些是可痛的，但否则不能明白敌人宰割猎获物的残酷。希望读者能顾此瞩彼，记住两点：毋使平津永为失地！毋使别处再成目前的平津！

“黄皮”满街走

攫取平津的是兽军，故先得把兽军的情形报告一番。

北平现在并没很多兽军。他们把最多的“黄皮”（这是一般市民送给兽军的称号，因为他们穿的军服全是黄色）送到炮火上去了。留在北平的是两种：从后方（关外）开到的后备军，和从前线撤回的疲劳或受伤的兵。生力军和疲劳军互相交换作战和休息，北平成了他们的给养处。

这些“黄皮”驻扎在北平城内者三处：名胜天坛，东城的铁狮子胡同，地安门的旃檀寺，天坛最多。美丽的北平城，现正被这三处的野兽蹂躏着。当兽军入城之先，北平街头到处贴过所谓“皇军入城司令部”的告示，上书“皇军乃替华北人民解除痛苦之神师，所到之处秋毫不犯，盼人民安居乐业……”云云；同时伪警察局长潘毓桂也出布告，一面盛称兽军的“纪律”，一面作种种防患未然的恐吓。但空文到底掩不了实际面目。进城第一天就来了个下马威，驱着坦克车在全市示威游行一过，把北平那几条柏油路弄得满是车辙疙瘩。接着是强征粮秣，从有钱的挤钱，有货的挤货，苦力驴马则榨其势力。市民惶惶，不可终日，但汉奸文丐却在汉奸报纸上大颂“皇军”的纪律，说某日某军曹长给了洋车（黄包车）夫两倍的代价，某某“皇军”在街头救护了一个老头子云云。一传百应，于是在文字上“皇军”就仿佛果真成了“神军”。但实际上那些“黄皮”在干些什么事呢？他们恣意享乐着。鞭打和枪刺是街头常见的事。店铺及名胜处所挤满着他们。汉奸统治者特令各名胜机关专门招待他们游览，禁止市民进出。他们一大伙闯进食店，大吃大喝一通，末了用生硬华语向伙计说声“到××司令部拿钱！”便扬长而去了。北平原有一种“填鸭”很有名，被蹂躏的食店伙计便加上一个字，称这种买卖为“填黄鸭”。

黄鸭一日日填得肥起来，在北平街头颟顸而行；而店家则一日日在瘦下去，脸上挂着苦笑。

有些店家别扭起来，索性用“关门”的方法来对付。

但伪警察局却又出告示禁止，说“无端闭歇，显系有意阻碍市面繁荣”，要严办。于是大家只得把眼泪咽到肚里，再开门迎接那些饿狼。

这些“黄皮”现在是北平之王。汉奸傀儡，百意迎奉，特别训练了一部分宪兵警察去招待他们，领他们各处游玩，甚至逛中国妓女的妓院，这在天津亦复相同。大概是军队生活太无聊吧，他们在兽性的发泄上是特别努力的。天津的“劝业场”，和北平的西单东单体育场里排满了“春宫”，最大主顾是他们。

潘毓桂为“便利日军起见”，在天安门和宣武门添设了两处商场，设翻译员，专备日军交易，但商家害怕那种交易，均不参加，结果只有一些穷得实在没有法子的摆些小摊子，然而不久便少下去了。原因是兽军取物不给钱，即给亦是他们那种日币，而日币则虽经伪警察局明令通用，但在中国人之间则仍还行不通的。大家不要那捞什子。

北平城外也驻有兽军，南苑，西苑（均昔二十九军驻在地）为最多。但西苑的往往受“西山游击队”之袭击，这将在下面叙述。

汉奸的业迹

大家都已经知道北平已有了个所谓“治安维持会”（天津亦然）。这是现在仰奉敌命而俯治北平的。主席是江朝宗，但大权则握在警察局长潘毓桂手里。潘在就职时，说道：“人家骂我汉奸，我不管，我是做正当的事。”从这话可知其脸皮多厚，但此人的手段是强的。当他就任之初，第一业迹就是迎入兽军，而把二十九军和通州反正的保安队余卒闭拒在城外。其次是把城内民家的大小武器都收缴，不缴者阖家枪毙。收去的军器自己不用，全体献给了兽军。北平城内除兽军外无一军械，宪兵警察是徒手站岗。军器之后，就是派人搜索抗日分子。事前因二十九军退得过快，一般抗日的青年知识分子大都被遗城内，而这些火种留着是决不会有利于“皇军”的，于是潘就以重金奖励告密，说如有告密“蓝衣社”及“第三国际社”（称第三国际为“社”是潘毓桂的告示首开其先）分子者，奖若干元云云。于是无耻的告密蜂起，多有挟嫌报复者，人人危惧。然而可笑的在后面呢。潘看到全城不安，以及挟嫌告密者之多，恐激大变，就又发出布告，奖励告密那些挟嫌报复者。奖额较第一种告密为多。在他以为，这样就可以恐吓那些挟嫌报复者了，殊不知那些挟嫌报复者却反而因此增多了借口和机会。告密者们不再指着他的私仇说“这是蓝衣社、第三国际社分子”，改说“这是挟嫌报复的人”了。结果是冤死了许多人。

北平虽陷，压迫虽严重，而人心是不死的，民众的力量是存在的。潘毓桂企图煽惑市民的良心，他用了种种的方法。一方面严厉禁止集会及一切集团活动（五六个人在房子里谈话，倘被发现，立即被捕），一方面却尽量利用无知人们的集团活动。也还是老法子，用一块钱一个人的价值收买许多无知苦力及浪人，举行傀儡或游行集会。在十月十日那天，他勒令全市挂灯庆祝所谓“保定陷落”，一面在中山公园举行了市民大会，又命令各学校强迫学生到街头游行，零零落落几十个人，报纸上却登载着说：“游行者近万人，一体要求华北新政权的成立。”最有趣的是，有一次强征了一百多辆汽车，里面装满了脸黄肌瘦的不幸的人们，在马路上鱼贯地兜风，一面发传单，贴标语。标语上写着“建立华北人的华北！”“华北人民结束起来！”等等莫名其妙的文句。但那些标语不久就“招贴即扯”了。这证明它的效果等于零。

匪盗横行，虽则有傀儡的治安组织，其实完全成了无政府状态。失窃者却大都苦笑着说：“让他们拿去的好，省得‘黄皮’再来动手。”市民的治安是如此，但一方面对兽军的治安，却拼命设法维持。兽军在城内设了军用电线，有动一动的就枪毙。单为这电线就已死了许多人。里面有一部分是穷苦的无知者，却也有一部分是因为不怕死，特意去破坏了的人。

汉奸们这种种“恩德”，一般市民是痛切的，明白的，目前虽则没有法子反抗，但心底里是惦记着的。然而兽军的汉奸却总以为北平市民是单纯的动物，他们以为只消用点小手段，就可以使大家伏伏贴贴做顺民。现在北平四城都有一种“宣抚处”，主其事者是“特务机关”中人，以汉奸为襄理，博取市民对日军日民的信仰。日本人开的“同仁医院”，现已完全为“宣抚处”效劳，施行着免费治疗。同仁医院在北平，是以误病杀人出名的，所以那种“免费治疗”到底是治疗还是杀人，不问可知。

这是一种“心的征服”，是敌人在“力的征服”之外并用着的恶辣的征服法。但无论它怎样恶辣，对于汉奸以外的北平市民，恐怕未必能很有成效吧。

奴隶文化

北平原为“文化城”，自被敌人统治后，文化灭亡了。

所存在和正在推行的是汉奸文化和奴隶文化。

学校大部停顿了。西郊的清华，城内的师大、东大、北大、平大、法商、女子文理学院都已成了兽军的办事处。还继续开学的，就只教会办的燕京（注：报载亦于最近停办）、辅仁两大学，私立的中国大学和华北大学。课程的受限制，学生的短少，是不待说的，中国大学原先是左倾教授学生的大本营，现在因为校长何其巩善于周旋，得以苟延，但优秀学生则一概跑掉了。华北大学原先就是汉奸的大本营，现在正大走红运。

中学以下，是被强迫开学了的，但窘状毕露。先是经济无办法，维持会把大量经费供养了那些肥狼，青年学生被闲却是不消说的。校长、教员天天向伪社会局长李景铭请愿，李景铭享以闭门羹。事变以来也已三个多月，但中学教员的薪水发了五块钱，小学教员恐怕只有几毛钱吧！？教员们为了职业不得不留下，而留下则只能喝着西北风。北平寒矣，朔风正烈，我们可以想见那些知识分子过的是什么日子。

教科书已经删改完竣了。

全国设备最好，善本书最多的国立图书馆，现在还继续办公。经过了一番“整顿”，撤毁了许多珍贵的书籍。远东研究室里的俄文书都烧掉了。阅览的人数大减，其中大部分是落难的知识分子，跑去睡觉的。

北平的新闻界已经完全受统制。中央党部办的《华北日报》馆已被没收，但仍出版，悉由汉奸主持。以前冀察政委会的《北平晨报》变为治安维持会的了。这两种是目下汉奸的直系机关报，一切新闻悉由日文报《京津日日新闻》上译下，老是“同盟电”。译文文句夹着日文语调，不堪卒读。素以迎合小市民趣味的《实报》，现由许多遗老和鸳鸯蝴蝶派文人继续办着，论调是与汉奸一致的。欧大庆昔为政委会办英文的《北平新闻》（*Peiking News*），现欧另就伪平绥路局副局长，该报即为另一汉奸接办。另外还有若干外人所办法文或英文报，起先偶有我南方抗战胜利消息，但后来治安维持会去要求，并送了一些钱，从此也就不声不响了。因此在北平的人除了同盟电外几不知复有其他电讯。这在天津比较好一点，因为有租界。但平津最老牌最大的汉奸报《庸报》，正也是藏在租界里，相反地《大公报》、《益世报》却被迫停止发行了。据说在天津有不经意带着一张旧的《大公报》过白河而被枪杀者。

小汉奸们在北平出版了一种杂志，叫做《华北评论》，现已出版至四期。内容是“中日同文同种论”，“华北新政权待望”，“自饮食立场蠡窥日本军之义勇”等等一套，文体则有四六文言文，白话文，文言夹白话文，去掉了“假名”（日文字母）的日文等等，不一而足。这一种杂烩式的杂志，是目下汉奸的唯一喉舌，也就是汉奸文化的代表作。看一看它就可尽见汉奸文治能力的“乏”态了。

英勇的一团

这就是现在南方也已知道了的北平近郊的游击队。在略述敌方的无耻情形后，不能不写一写这游击队的英勇。

当敌人占领了平津，使我们的国防前线平津成了他们的后方的时候，这游击队即以英勇滋态出现。其悲壮之迹，恐怕只有最近上海留守四行仓库的八百将士可以比拟。四行仓库上的青天白日旗是独立在敌旗的包围中，这游击队是崛起在敌军的后方。论环境亦正相同。

这游击队最初约有千余人。由四部分合成：北平的青年知识分子（东北大学学生最多），二十九军溃散将士，通州反正后的保安队残余，和原在西山活动的“匪”同胞（他们是一向受着种种生活压迫的）。他们有的失了学校，有的是失了军队归宿，有的是断了退路，却在苍翠的西山中集合起来了。最高首领赵桐，是东北大学教授。他原是东北人，“九·一八”时逃到关内，想不到又遭遇到了“第二次‘九·一八’”，这两重的刺激无疑地是促成他这次果敢行动的主因。

这游击队的组成，是谁都没有预料到的。连感觉最敏锐的敌人的猎犬也没有觉察到。当事变之后，潘毓桂竭力阻止各方溃散部队进城，日军且出城追击，以为从此可在北平城里高卧了，却想不到他们这种恶辣的手段反促成了被压迫者的集结。他们终于集结了，他们在西山中竖起了他们的义旗。

当他们最初以游击方式袭击北平城外日军时，敌人并没加以充分挂虑，以为那溃散的乌合之众，成不了什么大气候。但后来觉得不行了，因为城外的日军竟不断地被袭击，不断地送进城来医治。北平西郊峰峦重叠，追索不易，城外的少数敌军拿他没有法子想。虽有精械，也不能充分施展。而正当兽军当局开始计议攻击时，游击队方面却以深的计谋，架走了西山一个教堂里三位法国教士，同时通知治安维持会，说如要救回教士，须以若干军械及粮食交换。维持会知讯后非常着急，因为该维持会既在名义上统治了北平，则这事件就须完全负责。倘不救回，责任重大；依命交换，则粮械一多，猛虎添翼。想了种种方法，企图以别的条件交换，不成。这样僵持了半月之久，其间维持会曾乞请日军，允给一部分警察（警察的军器早已被收去）以枪械，进西山抢救，结果却只是伤的伤，亡的亡。于是日军当局发怒了，一面诅咒维持会不中用，一面派了大量重爆机入山轰炸，杀鸡而用牛刀，轰得满山乱石飞腾。当时住在北平的人们听着轰轰巨响，以为我军又已迫近北平，正在恶斗，却想不到是在轰炸那一群精悍倔强的非正式军。

在暴力之下，物质条件不充分的游击队就只得忍痛避散。一半就在山中遂了壮烈的牺牲，一半是向察境退去。当时南口未失守，那部分就继续在长城下作猛烈的活动。领袖赵桐是脱走了的。南口失守，消息遂断。然而余伙英勇的中国人的结局是无须揣测的：不是战死，便是还在搏斗！

写到这里，我不禁以最大敬意感念这些战士，是统统战死了还是仍在搏斗的结果且不管，就以如上一些雄迹而言，就足感□□□□□□□□□[1]四围，汉奸正在城内作无耻的欢饮之际，他们却在城外山中混和着血肉和山泥，作拼死的袭击！单这么一对照就够了。

呜呼游击队诸君，你们是光荣的。平津虽经陷落，但你们却无论存亡，都将永生在全中国人的记忆中！

---

[1] 原书此处漫漶不清，无法辨识。——编者注

三联经典文库第二辑简目

《游击战教程》　明凡 / 著

《游击战术纲要》　陶剑青 / 编著

《汪精卫卖国的理论与实践》　钱俊瑞 / 著

《抗战以来》　韬奋 / 著

《陕行纪实》　楚云 / 著

《随军散记》　沙汀 / 著

《被日寇囚系半载记》　王研石 / 著

《倭营历险记》　房沧浪 / 著

《活跃的新西北》　田影 / 编著

《保卫华北的游击战》　刘清扬　陈北鸥等 / 著

《徐州突围》　《徐州突围》编委会 / 编

《沦亡的平津》　长江　小方等 / 著

《淞沪火线上》　胡兰畦等 / 著

《瞻回东战场》　长江　罗平 / 著

《东线的撤退》　胡兰畦等 / 著

《抗战中的西北》　徐盈 / 著

《鲁闽风云》　徐盈等 / 著

《西线生活》　西北战地服务团集体创作

《中国解放区见闻》　［美］福尔曼著 / 朱进译

《全面抗战论》　潘汉年 / 著

《日本的间谍》　范士白自述 / 尊闻译

《日本大陆政策的真面目》　国难资料编辑社 / 编

《民众动员论》　李公朴 / 著

《中国外交史》　钱亦石 / 编著

《太平洋军事地理》　蒋震华 / 著

《世界经济地理讲话》　思慕 / 著

《列强军力论》　［德］马克斯·威纳尔著 / 宾符　仲持　梅益等译

《近代国际关系史》　张铁生 / 著

《太平洋现势手册》　沈志远　石啸冲 / 编著

《近代世界政治史》　钱亦石 / 著

《从战争到和平——一九四五年的世界政治》　乔木 / 著

《战后日本问题》　思慕 / 著

《最近一年间的国际动态（1946.7—1947.6)》　《东北日报》社 / 编

《论政党》　翟放 / 著

《法与宪法》　韩幽桐 / 编著

《中华民国宪法刍议》　罗家衡 / 著

《民主·宪法·人权——作之民》　费孝通 / 著

《宪法论初步》　潘念之 / 著

《对反民主的抗争》　韬奋 / 著

《农村改进的理论与实际》　江恒源 / 著

《上海产业与上海职工》（上下）　　朱邦兴　胡林阁　徐声 / 合编

《陶行知教育论文选辑》　　陶行知著 / 方与严编

《中国通货膨胀论》　　杨培新 / 著

《中国及其未完成的革命》　　H·普拉特著 / 蒋天佐译

《中国的建设问题与人的训练》　　卢作孚 / 著

《论中国特殊性及其他》　　艾思奇 / 著

《中国经济问题讲话》　　钱俊瑞　徐雪寒　王渔邨　姜君辰　骆耕漠 / 合著

《中国经济的道路》　　许涤新 / 著

《中国财政之病态及其批判》　　孙怀仁 / 著

《官僚资本论》　　许涤新 / 著

《五四运动之史的评价》　　陈端志 / 著

《中国通史简编》（上下）　　中国历史研究会　范文澜 / 主编

《论文学的工农兵方向——读〈在延安文艺座谈会上的讲话〉》　雪苇 / 著

《中国近代史（上编　第一分册）》　　武波 / 编著

《文学百题》　　傅东华 / 编

《中国史学之进化》　　周谷城 / 著

《论民族形式问题》　　胡风 / 著

《论批评》　　荃麟等 / 著

《中国史纲》（第一卷上下、第二卷上下）　　翦伯赞 / 著

《近代中国思想学说史》（1–4）　　侯外庐 / 著

《中国政治思想史》（上下）　吕振羽 / 著

《中国哲学史纲要》　向林冰 / 著

《中国政治史讲话》　钱亦石 / 著

《中国社会经济史纲》　王渔邨 / 著

《新财政学大纲》　千家驹 / 著

《太平天国革命运动论文集——金田起义百周年纪念》

华北大学历史研究室 / 编

《理性与自由——文化思想批评论文集》　胡绳 / 著

《战斗者的诗人》　黄药眠 / 著

《国语文法》　曹朴 / 著

《教育哲学》　张栗原 / 著

《妇女问题讲话》　杜君慧 / 著

《婚姻 · 子女 · 继承》　沙千里 / 著

《性教育新论》　布士克　雅各生合著 / 董秋斯译

《狱中杂感》　杜重远 / 著

《七人之狱》　沙千里 / 著

《爱迪生传》　伍况甫 / 译

《歌德自传》（上下）　歌德著 / 思慕译

《尼赫鲁自传》　［印度］尼赫鲁著 / 毕来译

《列宁传》　［苏］凯尔任采夫著 / 企程　朔望译

《罗斯福总统传》　C. Mackenzie 著 / 张尚之译

《托尔斯泰传》（1–3）　［英］阿尔麦 · 莫德著 / 徐迟译

《革命文豪高尔基》　［美］亚历山大 · 康恩著 / 韬奋编译

《鲁迅纪念特辑》　新中国文艺社 / 编

《回忆鲁迅先生》　萧红 / 著

《人民文豪鲁迅》　平心 / 著

《亡友鲁迅印象记》　许寿裳 / 著

《鲁迅思想研究》　何干之 / 著

《鲁迅研究》　夏征农 / 编

《过来的时代：鲁迅论及其他》　雪峰 / 著

《电影戏剧表演术》　洪深 / 著

《日常心理漫谈》　［美］约瑟夫 · 查斯特罗著 / 曾宝施译

《心理常识漫话》　朱智贤　杨云美 / 著

《读书的方法与经验》　王任叔 / 著

《美国黑人生活纪实》　［美］加德维尔　斯坦倍克著 / 董秋斯译

《初访美国》　费孝通 / 著

《事业与成功》　［美］马尔腾著 / 汪原放译

《萍踪寄语（初集）》　韬奋 / 著

《一生的幸福前途——〈生活周刊〉信箱选集》　生活书店 / 编选

《深刻的印象》　生活周刊社 / 编

《海外的感受》　生活书店编译所 / 编

ISBN 978-7-108-04586-7
9 787108 045867 >
定价：15.00元